D1599030

Editorial
RENUEVO

CONSIGA EL PODER PARA CAMBIAR TU VIDA

TERRY GOGNA
CONFERENCISTA INTERNACIONAL Y AUTOR

Consigue el poder para cambiar tu vida

Por Terry Gogna

ISBN: 978-1-942991-06-9

Publicado por:
Editorial RENUEVO
www.editorialrenuevo.com

CONTENIDO

Introducción 11
Capítulo 1 – La crisis crea claridad 13
Capítulo 2 – El viaje 21
Capítulo 3 – Las relaciones son el fruto de la vida 25
Capítulo 4 – El matrimonio y algo más 43
Capítulo 5 – Siempre corre tras tu pasión 61
Capítulo 6 – El poder del sueño material 71
Capítulo 7 - El poder del dolor 77
Capítulo 8 – El poder de la venganza 85
Capítulo 9 – El poder de las consecuencias 89
Capítulo 10 – El poder de rendir cuentas 95
Capítulo 11 – El poder de una causa 99
Capítulo 12 – El poder de un héroe 105
Capítulo 13 - El poder de la declaración de un gladiador 123
Capítulo 14 - El poder de tu mejor momento 125
Capítulo 15 – El poder de tu «Amigo Invisible» 135
Capítulo 16 – El poder del amor 151
Capítulo 17 – El poder de tu pasado positivo 157
Capítulo 18 – Administra los eventos, no el tiempo 163
Capítulo 19 – Aplicación práctica del manejo de eventos 179
Capítulo 20 – El poder para vencer la postergación 185
Capítulo 21 – El tesoro escondido 193
Capítulo 22 – El poder de la mente 199
Capítulo 23 – Prepárate para ser líder 203
Capítulo 24 – Prepárate para los tiempos difíciles 213
Capítulo 25 – Prepárate para la crítica 225
Capítulo 26 – El poder de la autoreflexión 229
Capítulo 27 - El poder del amor de Dios 241
Capítulo 28 – El poder de la paz interior 249
Capítulo 29 – Conclusión 255

Terry Gogna,

Gracias por tomar el tiempo de leer esta carta poco profesional. Cada vez que sientas que te estás mintiendo a ti mismo con tu trabajo, simplemente recuerda: el 18 de noviembre de 2012, en República Dominicana, impactaste cientos de vidas, pero especialmente la mía. Yo simplemente soy una muchacha de 16 años en el negocio, quien está buscando algo por lo cual valga la pena vivir. Yo sufro de depresión severa, mi hermano se suicidó y yo no tengo relación con mis padres...y gracias a ti yo sé que no puedo esperar. Yo quiero cuidar a mi abuela que vive en Ucrania (quien me crió). Yo quiero tener una relación con Dios, y más que nada yo quiero ser feliz. Gracias por compartir tu vida conmigo, ahora yo sé como quiero que sea mi vida.

Que tengas un buen viaje,
Espero verte pronto en R.D.

A mis hermosos padres,
les doy gracias a los dos,
no solamente por darme vida,
pero sobre todo, por darme amor.

Introducción

A veces cuando la vida se pone realmente difícil, no es fuerza o poder lo que necesitamos primero. El poder sin la paz se convierte en algo agotante.

En esos tiempos inesperados, cuando la vida nos derriba, la motivación para hacer algo grandioso con nuestra vida no es siempre lo que necesitamos en ese momento. Con frecuencia, lo que necesitamos sentir primeramente es una sensación de paz en medio de toda la confusión, el estrés y las lágrimas.

¿De dónde heredas *el sentimiento* de que todo va a estar bien? ¿De dónde obtienes esa sensación de paz?

He llegado a darme cuenta que hay un lugar dentro de cada uno de nosotros, adonde nos podemos llevar a nosotros mismos. Un lugar que nos va a dar ese sentimiento de paz. La clase de paz que nos consuela, y luego, en el momento preciso, nos empodera para que luchemos por nuestros sueños con más determinación y convicción como nunca imaginamos.

Terry Gogna

Capítulo 1

La crisis crea claridad

«Las mejores cosas de la vida no son cosas materiales.»

- John Ruskin

Yo me recuerdo de un día muy especial, hace muchos años, cuando yo pude experimentar lo que yo llamo, un *momento esclarecedor* en la vida. En este día en particular, mi agenda estaba completamente llena, y yo creía con gran convicción que no podía agregar nada más a mi día. Yo tenía muchísimas cosas planeadas y anhelaba hacerlas todas.

Inesperadamente sonó el teléfono; era una llamada de la familia de mi sobrino. Ellos me contaron que mi sobrino había tenido un ataque de asma muy fuerte y que se había roto uno de sus pulmones. Él fue llevado a la unidad de cuidados intensivos de un hospital porque el doctor dijo que la situación se podía convertir en algo de vida o muerte en cualquier momento.

Por una fracción de segundos entré en pánico. Yo tenía todas estas citas en mi agenda, y planeaba hacerlas. Yo me sorprendí a mí mismo pensando de forma reactiva «*¡Yo no tengo tiempo para hacer nada más! Estoy tan ocupado. Mi día está completamente lleno!*». De repente mi conciencia se activó y comencé a dirigir mis pensamientos. No pasó mucho tiempo para que yo me diera cuenta lo que era más importante, y lo que yo tenía que hacer. Yo cancelé todas mis citas y me dirigí directamente al hospital con mi familia.

Cuando estamos en medio de una crisis, la mayoría de las veces la situación crítica nos obligará a pensar con creatividad extrema, simplemente por la situación de emergencia. De repente, llegamos a darnos cuenta que tenemos que tomar una decisión y actuar de la manera correcta y rápida, de otra manera, las consecuencias podrían llegar a ser desastrosas.

La situación de crisis es profunda en ese sentido. Cuando la crisis llega a nuestra vida puede cambiar de dirección nuestros pensamientos de una manera dramática. Como remover una venda de nuestros ojos, podemos reconocer instantáneamente lo que es realmente importante y lo que no lo es. De repente se vuelve fácil dejar las cosas a las que estábamos aferrados, cosas que estaban tomando mucho de nuestro tiempo. Esta crisis familiar me reveló lo que valoro profundamente. No cambió mis valores, simplemente me lo reveló con claridad extrema.

La película «My Life» (Mi vida), protagonizada por Michael Keaton, presenta una situación de crisis de una manera muy bella. Esta película se trata de un hombre que desesperadamente quiere convertirse en padre. Desafortunadamente, cuando su esposa finalmente queda embarazada, a él le diagnostican cáncer en fase terminal. Su corazón está destrozado sólo de pensar que su hijo, que aún no ha nacido, va a crecer sin él y sin el amor y apoyo de un padre. Piensa en cómo no va a estar presente para guiar a su hijo y para contribuir positivamente en su vida; cómo no va a estar ahí para apoyarlo y animarlo en los momentos difíciles de la vida; cómo no va a poder estar ahí para decirle lo mucho que lo amaba. Es algo trágico. Pero aun más trágico, es el hecho de que está a punto de hacerle a su hijo lo que su padre había hecho a él. Aunque su padre no había muerto, durante toda su niñez él se sintió extremadamente sólo porque su padre nunca estuvo con él. Constantemente tenía que escuchar, «*¡Alguien tiene que ganar dinero para poner comida en la mesa, así que me tengo que ir!*» Él siempre se sintió abandonado por su padre.

Sin embargo, en medio de la crisis de su vida, se le ocurrió la grandiosa idea de cómo podía ser parte de la vida de su hijo incluso después de morir. Él decidió grabar videos de sí mismo para su hijo. Videos que su hijo podría ver mientras iba creciendo. Los videos contenían información que él pensaba que iba a ser importante que su hijo supiera y experimentara. Después de su muerte, todas las noches, la madre del niño ponía un video del padre donde éste le leía cuentos antes de dormir. Fue un momento hermoso cuando la madre escuchó a su hijo por primera vez, reconocer y decir frente a la pantalla de TV «¡Papi!». Estoy seguro que el padre experimentó lo mismo en espíritu en ese momento.

Mientras el niño iba creciendo, la madre le ponía otros videos que su padre había querido que su hijo vea, cómo meter la pelota de baloncesto, cómo rasurase, e incluso cómo cocinar fideos. El padre tenía la determinación de ser parte de la vida de su hijo no importando lo que tuviera que hacer, ni la muerta lo iba a detener.

Después de ver esta película y ser muy conmovido emocionalmente, yo comencé a pensar, «*¿Qué si esto me sucediera a mí?¿Qué les diría yo a mis dos hijos?*». No podía sacarme esa idea de mi mente. Yo comencé a pensar entre mí, si yo tuviera que hacer lo mismo, yo no grabaría mensajes en video, sino mensajes escritos en un diario, que me gustaría compartir y trasmitir a mis hijos. No mensajes para niños, sino mensajes para adultos jóvenes porque mis hijos ya son mayores. ¿Qué escribiría? ¿Qué lecciones importantes he aprendido hasta ahora que yo siento que son las más importantes, cosas que a mí me hubiera gustado saber de temprana edad en mi vida?

Cuando veo hacia atrás y pienso en mis antepasados, es triste saber que nunca conocí a mis abuelos maternos; ellos murieron antes que yo naciera. Y de mis abuelos de parte de padre, yo solamente recuerdo haber pasado un tiempo corto con ellos cuando tenía nueve años y fui a la India de vacaciones con la familia...eso fue todo. Mis abuelos y bisabuelos, etc., desde los tiempos antiguos, toda esa gente vivía muchos años, cientos de años acumulados y no tengo ni una sola nota escrita por ellos. Ni una sola palabra. Absolutamente nada que nos pueda conectar por el océano de años que nos separan. Ni una sola pieza de escritura compartida conmigo que me diga directamente lo que experimentaron después de haber vivido toda su vida: los errores que ellos cometieron, las lecciones que aprendieron, los sacrificios que hicieron, las cosas que lograron, las tradiciones que siguieron, los principios que regían sus vidas, los creencias personales profundas, y lo que ellos pensaban que sería importante transmitir a sus descendientes para que nosotros pudiéramos vivir una mejor vida, una vida de verdaderos logros y valor... pero lamentablemente todo está perdido en la historia. Yo no digo esto para culpar a nadie, solamente lo digo por tristeza.

Obviamente me heredaron muchas cosas indirectamente por medio de mis padres, pero mucho se perdió, montañas de conocimiento y sabiduría simplemente se evaporaron. Qué invaluables hubieran sido esos escritos si mis ancestros hubieran tomado el tiempo de poner sus lecciones de vida en papel.

La razón por la cual las palabras son tan importantes es porque el lector no juzga al escritor, solamente digiere el conocimiento escrito. Nuestros padres nos pueden decir que hagamos algo una docena de veces antes que finalmente lo aceptemos como verdad; pero si nosotros mismos lo leemos, y proviene de alguien con quien nunca hemos vivido, que desconocemos sus debilidades, que nunca hemos visto sus defectos, tenemos la tendencia de aceptarlo como verdad poniendo muy poca resistencia.

Después de mucha reflexión, decidí que yo no iba a repetir el mismo patrón. Yo decidí escribir en un diario las cosas que he aprendido en mi vida hasta el día de hoy, lo que yo creo que han sido las lecciones más importantes. Y si mi vida se termina de repente, por lo menos mis hijos y mis nietos, etc., tendrán acceso directo a las lecciones de mi vida, escritas con mi propio puño, en mis propias palabras.

Así que empecé. Yo conseguí un diario y en la parte superior de la primera página yo escribí el título, *«Si tú estás leyendo esto, yo estoy muerto»* y luego comencé a escribir. Yo escribí todo lo que pude recordar, y que era lo suficientemente importante para compartir con mis hijos en caso de que ocurriera una muerte inesperada. Después de cuatro meses yo sentí que había completado la mayor parte de lo que quería escribir en ese entonces. Luego coloqué el libro en la librera, con la creencia y la esperanza de que si yo moría de manera inesperada, mis hijos descubrirían el libro y saborearían todos y cada uno de los mensajes de su padre que estaban dentro de éste.

Mientras me alejaba de la librera escuché una fuerte voz en mi cabeza, *«¡Terry, eres un estúpido! Por qué vas a esperar hasta morir para que tus hijos tengan esta información? ¡Diles ahora lo que está escrito en el libro!»*

Mi reacción inmediata fue, *«¡Esa es una buena idea, ¿por qué no había pensado eso antes?»*

Después que confirmé con mi hijo mayor que él tenía tiempo para hablar conmigo, fui a su cuarto y le entregué el diario. *«Me gustaría que leas esto en voz alta y me digas qué te parece»*. Con un semblante muy curioso él abrió el libro y comenzó a leer el título. *«Si tú estás leyendo esto, yo estoy muerto»*... *«¡¿Qué?!»* El comenzó a reírse a carcajadas. *¿¡Está usted loco?!»*

Yo le aseguré que yo no era un fantasma, y que había titulado ese libro así por una razón en particular.

El pensó que mi respuesta era, tanto extraña como divertida. Cuando finalmente se calmó después de reírse entre dietes, continuó leyendo el libro. «*Así que, ¿Qué piensas?*» le pregunté. Él me dijo que estaba muy impresionado con lo que había leído y que fue definitivamente interesante y útil.

Yo no esperaba que él saltara de arriba abajo, delirara y vociferara lo brillante que era el contenido, y cómo éste libro podría cambiar vidas, y que de inmediato él era un hombre cambiado. Él tenía veinte años. ¿Cuánto puede realmente un muchacho de veinte años entender acerca de la vida y sus lecciones imposibles? Sin embargo, yo sabía que a medida que él iba envejeciendo le sería más fácil identificarse, y más importante para él cuando él viera hacia atrás y lo leyera.

Una de las cosas más importantes que yo tenía que hacer como padre, era plantar la mejor semilla en el subconsciente de mis hijos, de esa manera cuando ellos necesitaran tomar decisiones importantes en el futuro, lo iban a poder hacer desde una buena base, tanto en el pensamiento moral y empoderamiento.

Fue aun más sorprendente para mí que cuando escuché a mi hijo leer en voz alta los mensajes que yo había escrito en el libro, de repente los mensajes parecían exhibir mucho más poder. Mientras él me los leía, éstos traspasaron mi mente y mi corazón con mucha validez. Yo estaba muy contento y agradecido de descubrir lo importante que estas lecciones habían sido para mí en mi vida.

Yo te animo a TI, no importa la edad que tengas, que hagas lo mismo. Toma tiempo para escribir las lecciones más importantes que hasta el momento has aprendido en tu vida y que te gustaría trasmitir a tu próxima generación y más allá, y de esa manera contribuir a que ellos tengan una mejor vida. Mientras que escribes las lecciones de tu vida, serás conmovido nuevamente por ellas de manera poderosa.

También prepárate para el hecho que muchos años después cuando revises tus escritos, lo que previamente has considerado de gran importancia tal vez ya haya cambiado. La edad y las experiencias de la vida saben cambiar nuestras opiniones en muchos cosas. Lo que causó que tu perspectiva en cierta área de la vida cambie, es ahora en sí una gran lección y será una gran adición de valor a tus escritos. Ahora es el momento para yo comparta contigo lo que escribí en mi libro. Espero que las palabras y las lecciones que siguen contribuyan grandemente en tu vida, y que debido a estas lecciones, tu vida se vuelva más abundante en todas las áreas.

Aquí están las *Lecciones de Vida* de Terry Gogna…

Capítulo 2

La jornada

«Deja que tu felicidad esté en tu viajar, y no en alguna meta lejana.»

- Tim Cook

¡El sueño!... ¡El sueño!... ¡El sueño!... A nosotros siempre se nos ha dicho que creamos firmemente que el sueño, ese sueño que estamos desesperadamente tratando de alcanzar, lo que debería ser nuestro único enfoque, y que debería ser visto como el trofeo de nuestra vida, que se le dé la mayor importancia a éste hasta obtenerlo; porque sin un sueño, la vida carece completamente de sentido.

Lo que hay en nuestra posición actual en la vida y el sueño que estamos tratando de alcanzar y lograr, es un viaje. El viaje hacia nuestro sueño es lo que nosotros debemos de recorrer y sobrellevar si queremos alcanzar nuestro sueño. El viaje contiene dentro de sí, ambos, las luchas y las alegrías del viaje, así como también la distancia y el tiempo que uno debe resistir.

Así como el amor viene del corazón, el poder viene del sueño. Es nuestro sueño lo que nos da el poder para hacer el viaje. Nuestro ardiente deseo de lograr nuestro sueño nos da poder de manera desmesurada y nos ayuda a vencer cualquier obstáculo a lo largo de la jornada. Pero aunque el sueño sea muy poderoso, no nos hace lo que somos, ni determina en quien nos convertimos. Es el viaje: las luchas, los obstáculos y los retos, lo que nos hace ser quienes somos; y la actitud con la que soportamos los fracasos, el rechazo, la persecución y la angustia, al final de todo es lo que determina en lo que nos convertimos.

La jornada es la base de *todo* éxito. La manera que vivimos la vida mientras estamos tratando de alcanzar nuestro sueño, va a determinar si vamos o no a tener gozo y paz en nuestros corazones; y sentir realmente el éxito cuando finalmente logremos nuestro sueño. Algunas personas dicen, *«No importa cómo llegues ahí, siempre y cuando ganes; siempre y cuando logres tu sueño»*. ¡Pero sí importa! Si eres significativamente exitoso en un área de tu vida, pero sabes que has fracasado en otras áreas, y sabes que has lastimado a la gente a lo largo del camino, incluyéndote a ti, no te sentirás exitoso.

La manera en que realices tu jornada va a agregar o quitar el gozo del éxito que eventualmente logres. Si vives tu vida de manera consciente mientras estás alcanzando tu sueño, tendrás paz en tu mente en lugar de sentir culpabilidad. Esa paz te dará poder aun más allá para que alcances niveles de éxito más altos. La jornada es la base de tu éxito. Si no pones atención a la base y cómo está construida, es decir, como vives tu vida, cuando se desmorone, también tu éxito se derrumbará.

La película *Citizen Kane* (Ciudadano Kane), protagonizada por Orson Welles en 1941, se trata de un muchacho llamado Kane, que fue abandonado por su madre cuando era niño. La mujer se lo regaló a un banquero para que lo criara, principalmente para retirarlo de su padre abusivo. Muchos años más tarde, después de la muerte de sus padres, a la edad de 25 años, el hombre heredó la fortuna y se convirtió en uno de los hombres más ricos de América. Aunque Kane era súper rico, sin saberlo, solamente tenía un sueño que trataba de alcanzar. Pasó su vida entera tratando de llenar el vacío que su madre dejó cuando lo abandonó. Él desesperadamente anhelaba ser amado, porque su corazón estaba completamente vacío y desolado.

Con su riqueza compraba cosas materiales que él sabía que la gente adoraba y les encantaba, con la esperanza de conquistar su amor… el amor que su corazón deseaba de manera tan ansiosa. Compró y vivió en un palacio de 49 hectáreas de terreno que a la gente le encantaba. Llenó su casa con una colección invaluable de arte que a la gente le encantaba. Puso un zoológico en su propiedad, con animales que la gente adoraba. Sin embargo, el amor seguía siendo inalcanzable.

Mientras él se convertía más y más en alguien desesperado por recibir y experimentar el amor, comenzó a presionar y controlar a la gente que trabajaba para él. Él quería ser servido y amado, sin embargo, no tuvo el cuidado de devolver el amor que recibía. Como resultado, todos aquellos que lo conocían bien, lo despreciaban, y literalmente lo odiaban.

Él se divorció dos veces. Cuando su segunda esposa lo estaba dejando, él le dijo a ella, «*Por favor no te vayas*». Parecía que ella iba a cambiar de opinión, hasta que escuchó el siguiente comentario, «*No me puedes hacer esto*». Luego ella contestó, «*Siempre se trata de ti y de lo que tú quieres*». Y siguió su camino, justamente como todos los demás que llegaron a su vida.

Exteriormente, Kane parecía muy exitoso. Parecía como que él lo había logrado todo. Para la gente que no lo conocía personalmente, parecía tenerlo todo. Todo lo que cualquiera podría desear, este hombre lo tenía. Pero su éxito era unidimensional. Su vida personal estaba tan llena de remordimientos porque vivía de una manera inconsciente. No puso atención al viaje y cómo vivir su vida, él solamente se enfocó en lo que *él* quería. Él tenía todo el dinero del mundo y aun así murió solo y miserable en su cama. Si solamente hubiera tomado el tiempo para reflexionar sobre su vida y la manera en la que estaba viviendo, el resultado de su vida personal probablemente lo hubiera dirigido a vivir su vida de una manera muy diferente.

La manera en que logras tu sueño es tan importante como el sueño que logras. Una vez que hayas hecho tu viaje no puedes regresar y volver a hacerlo. ¡Hazlo bien la primera vez! Vive tu vida a consciencia. Pon atención al viaje en sí, a todas las otras cosas que también son importantes en tu vida, así no tendrás nada de que arrepentirte al conseguir tu objetivo final.

Si te enteraras que solamente tienes cinco meses de vida, dirías de repente, «*Yo necesito cambiar esto y esto y esto en mi vida*». Si llegas a entender que quieres hacer muchos cambios a la manera que vives tu vida; esa es la primera señal del hecho que no estás viviendo tu vida de la manera que deberías estar viviendo.

Para hacer que mi idea sea mucho más convincente, imagina que moriste cinco minutos atrás y que estás parado arriba viendo hacia abajo a tu cuerpo físico. Aunque ahora solamente tienes cuerpo espiritual, tu mente sigue siendo intacta. Nada en tu mente ha cambiado, tú sigues siendo tú. Tú sigues pensando y sintiendo las mismas emociones que sentías momentos atrás cuando estabas en tu cuerpo físico, pero ahora tu vida en la tierra ha terminado y no puedes cambiar nada. La jornada de tu vida se ha terminado. Mi pregunta para ti es… ¿tendrías algún arrepentimiento de cómo viviste tu vida?

Capítulo 3

Las relaciones son el fruto de la vida

«El hogar es el lugar donde eres más amado y donde actúas de lo peor.»

- Majorie Pay Hinckley

Al final de nuestra vida todos vamos a llegar a la misma conclusión, toda nuestra vida fue simplemente acerca de una cosa – relaciones. La calidad de las relaciones que construimos en la tierra son realmente el fruto de nuestra vida.

Cuando mi madre dio su último suspiro y pasó al mundo espiritual, aunque mi corazón estaba destrozado y mis lágrimas fluían como una cascada interminable, cuando miré la habitación en donde yacía su cuerpo, no pude dejar de sentir todo el amor que la rodeaba. La pequeña habitación estaba llena de muchísima gente. Sus seis hijos sosteniendo su mano suavemente, o tocando su rostro, o sus piernas, o sus brazos; nosotros desesperadamente queríamos que ella supiera que todos estábamos ahí con ella. Ella no estaba sola. Todos nosotros estábamos ahí, a su lado para darle la despedida al otro mundo.

Estoy seguro que no había oxígeno en la habitación, solamente amor, saliendo de cada corazón que latía. Al mirar a mi alrededor, tuve un pensamiento abrumador y muy reconfortante. «*Mi madre lo hizo bien.*» Ella vivió su vida bien y este era el fruto. La evidencia estaba frente de mis ojos. Todo el amor en esa habitación era el fruto de su vida, la calidad de sus relaciones. Todo el amor que ella dio durante toda su vida estaba regresando a ella, multiplicado por mil.

Existen 5 áreas de relación a las que tenemos que prestar mucha intención:

1. Dios

2. Nuestros padres

3. Nuestro cónyuge

4. Nuestros hijos

5. Nuestros hermanos, familia extendida y amigos

Esta lista no es única. Me he topado con muchas personas que también hacen referencia a esta misma lista de áreas de relaciones. Sin embargo, muchas de estas personas interpretan, en mi opinión, una creencia incómoda de que esta lista es una jerarquía de estatus sentimental; casi como una especie de actitud de competencia. En más de una ocasión yo he escuchado a un padre decirle a su hijo, *«Yo amo a tu madre más de lo que te amo a ti»*. Independientemente de qué tan «religiosamente» correcta sea o no esta jerarquía, yo no creo que esta expresión verbal ayude a que la relación entre un hijo y su padre avance. Todas las relaciones son únicas en su propio derecho. No es una competencia, todas ellas con importantes.

Yo aprendí de uno de mis mentores espirituales, que existen cuatro tipos de amor único, o **Dimensiones del corazón**: el primero es **el amor paralelo**, el amor que un padre le da a su hijo. Es segundo es **el amor conyugal**, este es el amor entre marido y mujer. El tercero es **el amor de los niños**, el amor que los hijos de dan a los padres. Y el cuarto es **el amor entre hermanos**, el amor entre hermanos y hermanas. El amor entre hermanos eventualmente se va a expandir fuera de la familia como el amor entre amigos. Estas cuatro clases de amor, o dimensiones del corazón, son únicas en su propio derecho y solamente pueden ser experimentadas cuando estás en esa única posición como padre, hijo, cónyuge o hermano(a). Debido a estas diferencia únicas, yo puse a cada relación que valoro a mí alrededor en un círculo.

Hace unos años yo tuve una conversación muy interesante acerca de la hombría con mi hijo. Él me preguntó, «*¿Cuándo en realidad un niño se convierte en hombre?*» Yo le dije que en la sociedad occidental, cuando una persona cumple 21 años, se le considera un adulto y completamente responsable de sus propias acciones. Sin embargo, no es realmente el tamaño de su cuerpo o su edad lo que hace a un verdadero hombre o mujer; es la madurez del corazón, o a lo que la Biblia se refiere como **perfección del corazón**. Jesús dijo: «*Sed, pues, perfectos, como vuestro Padre que está en el cielo es perfecto*». Solamente con el perfeccionamiento nosotros llegamos a ser hombres verdaderos y mujeres verdaderas. Pero, ¿cómo hacemos eso? Perfeccionando *el amor* en nuestro corazón.

Si Dios es perfecto y Dios es también amor, entonces para poder ser perfectos, tenemos que ser perfectos en amor. Ya que tenemos cuatro clases de amor o dimensiones del corazón, solamente podemos perfeccionar experimentando cada clase de amor. Mientras perfeccionamos el amor en nuestros corazones experimentándolo por completo cada clase de amor, nuestro corazón se acercará más a la semejanza de corazón de Dios. Yo verdaderamente creo que este es el objetivo de Dios para todos y cada uno de nosotros; que un día podamos amarnos como Dios nos ama.

Volviendo a la pregunta que me hizo mi hijo, «*¿Cuándo en realidad un niño se convierte en un hombre?*» la respuesta está en la diferencia entre dos corazones. El corazón de un niño vs. el corazón de un padre. **Lo que los separa es el deseo dentro del corazón**. El niño solamente piensa en sí mismo, mientras que el padre piensa solamente en su hijo. Entre más lejos estás de los deseos egoístas, más cerca estás de convertirte en un verdadero hombre o verdadera mujer.

¿Qué es el amor? La mayoría de las personas van a decir, «*El amor es un sentimiento, un sentimiento indescriptible de gozo y alegría en el corazón de alguien hacia otra ser humano*». ¡Bien dicho! Ahora déjame preguntarte, cuando estás en medio de una fuerte discusión con tu cónyuge, o cuando te enojas con tu hijo por su comportamiento egoísta hacia su hermano menor, ¿qué tanto amor en realidad sientes por tu cónyuge o tu hijo en ese preciso momento? Yo no creo que sientas el mismo, «*sentimiento indescriptible de gozo y alegría*» que describí anteriormente. ¿Qué pasó con el sentimiento de amor? ¿Ya no amas a esa persona ahora que el sentimiento de amor ha desaparecido?

El Amor Verdadero no es un sentimiento. Amar verdaderamente a alguien es tener y expresar la actitud de compromiso para servir y vivir por el bien del otro, independientemente de tus propias necesidades y sentimientos. El amor verdadero es tomar la decisión de servir, en lugar de ser servido. Cuando servimos esperando ser servidos por esa misma persona a quien estamos sirviendo, eso no es amor verdadero, sino simplemente vivir para nuestro propio bien. Nosotros debemos tener una actitud de, «*yo no quiero que esta persona me dé nada a cambio; mi amabilidad hacia esta persona va a venir a mí de alguna otra manera, de algún otro lado*». Es muy difícil hacer esto, pero saber esta ley universal y hacer el intento de vivir de esta manera es un buen comienzo.

Yo le dije a mi hijo, cuando una persona se vuelve madura en su corazón, esa persona escoge ponerse a sí misma como el centro de su familia y con una actitud de amor y compromiso verdadero, sirve a cada miembro de su familia sin esperar nada a cambio. Yo le hice este diagrama para ilustrar mi idea de mejor manera.

La flechas solamente apuntan en una dirección. Tus necesidades no deben entrar en el juego, tu único enfoque debería ser cómo puedes ser de servicio para otros dentro de tu familia. Tu actitud es lo más importante. Tú no debes servir por temor sino por amor. El temor quizá pueda cambiar temporalmente tu comportamiento, pero el amor cambiará tu corazón de manera permanente.

«*¿Cómo sirve una persona?*» me preguntó mi hijo. La prioridad más importante debería ser estar conectado con Dios todos los días por medio de oración. Hablar con Dios, pero no de la misma manera como hablamos con todos los demás. No pidas 50,000 cosas como si fuera una lista de comestibles: «*Dios, ¿me puedes ayudar con esto y esto y esto y esto y esto?*», eso es simplemente estar viviendo por tu propio bien.

En lugar de eso, dile a Dios, «*Yo no quiero nada de Ti, excepto que me digas qué quieres que yo haga por Ti. Yo quiero poner una sonrisa en Tu rostro. Yo quiero darte un abrazo. Yo quiero decirte lo mucho que Te amo. Yo quiero decirte que yo estoy aquí para Ti. Por favor úsame, dirígeme, guíame y dime cómo puedo hacer de este mundo un mejor lugar*». Ama a Dios en lugar de tenerle miedo a Dios.

Mientras Dios escucha todas las oraciones alrededor del mundo, a un sinnúmero de personas continuamente pidiendo por cosas, entre ellos, Él va a escuchar tu voz tenue, «*Yo no quiero nada, solamente dime qué puedo hacer por Ti. Yo quiero poner una sonrisa en Tu rostro. Quiero darte un abrazo. Quiero decirte lo mucho que Te amo. Simplemente dime qué puedo hacer por Ti. Por favor úsame, guíame y dirígeme cómo puedo hacer de este mundo un mejor lugar*». Si tú fueras Dios, cómo te sentirías de escuchar esta oración. Yo estoy seguro que Dios pensaría, «*Finalmente alguien con quien puedo trabajar para hacer de este mundo un lugar mejor*».

Luego le dije a mi hijo, la siguiente cosa que tienes que hacer es, tan frecuente como puedas, pregúntale a tus abuelos, «*¿Hay algo que pueda hacer por ustedes?*» Luego pregúntale a tu madre, «*¿Hay algo que pueda hacer por ti?*» Luego pregúntale a tu padre, «*¿Hay algo que pueda hacer por ti?*» Él se rió entre dientes. Cuando vi su cara, yo podía ver que él ya se estaba cansando de todas estas solicitudes, pero yo seguí haciéndolo porque él era el que quería saber cómo un niño se convierte en un hombre.

«*Luego debes de ir con tu hermano pequeño y decirle, «yo soy tu hermano mayor, y siempre puedes contar conmigo. ¿Hay algo que pueda hacer por ti?*» Mientras miraba la cara de mi hijo, yo me pude dar cuenta que él no estaba exactamente animado de tener que hacer todo este servicio.

«*Así que, ¿entonces qué piensas?*»

«*Bueno, suena bien papá, pero yo ya sé qué vas a contestar si te pregunto, "¿hay algo que pueda hacer por ti?" Me vas a pedir que saque la basura, que corte la grama, que quite la nieve, y ¡quien sabe qué más!*»

«*Te equivocas. La primera vez que vengas a mí y me preguntes, "¿Hay algo que pueda hacer por ti?" mi respuesta va a ser,* "¡ABSOLUTAMENTE NADA!" *Tú has hecho exactamente lo que yo deseaba que hicieras, tú me has mostrado qué es lo que te importa. Sin embargo, la segunda vez que me preguntes, probablemente te voy a pedir que saques la basura.*»

Yo le dije a mi hijo que mirara otra vez el diagrama y me señalara exactamente su ubicación en mi círculo. «*Exactamente en la circunferencia*», contestó él. «*Sí, estás en lo correcto. Tú estás en la circunferencia de MI círculo. El día que decidas tomar la decisión de convertirte en un hombre y un líder en la familia, ese va a ser el día que decidas tener tu propio círculo y te vas a poner en el centro*».

Hace más o menos un año atrás, en un día muy frío de invierno, eran como las nueve en punto de la noche cuando, yo le pregunté a mis hijos si les gustaría comer algo de McDonalds. Ambos contestaron en voz alta, «*Sí*». Aunque afuera estaba muy frío debido al clima, mi hijo más pequeño, que tenía como 19 años en ese entonces, dijo: «*¿Papá, te gustaría que yo fuera a comprar la comida?*». Fue algo tan considerado de su parte hacer el ofrecimiento. Yo le dije, «*no gracias, yo voy a comprarla*». Mientras yo escribía en un pedazo de papel lo que ellos querían, yo seguía pensando, qué considerado es mi hijo al haber hecho el ofrecimiento de ir a comprar la comida. Cuando levanté la vista, yo vi una gran sonrisa en la cara de mi hijo... fue ahí cuando me di cuenta que él sabía lo que yo iba a contestar si él se ofrecía ir en mi lugar. Él había escuchado esta charla en un CD, y sabía que si me preguntaba rápidamente y me mostraba que le importaba, lo más probable es que yo le diría, «*no gracias, yo voy*». Cuando él se dio cuenta, que yo me di cuenta de lo que él acababa de hacer, él ser rió a carcajadas. Mi hijo era un estudiante que solamente sacaba calificaciones de 90-100 (A+) y ahora también alguien que calificaba como un sabelotodo. Al menos yo sé que él entiende la filosofía de servicio, aunque la haya estado usando para su beneficio.

Mira cuidadosamente el diagrama en la página anterior. ¿A qué se asemejan estos círculos en Biología? Parecen células con el núcleo en el centro. El hígado está hecho de células de hígado. Los riñones están hechos de células de riñones. Cuando una persona es diagnosticada con cáncer de hígado, es porque una o más células del hígado se han vuelto cancerosas y se han empezado a propagar matando a las demás células.

La familia es un organismo vivo hecho de células. Cada miembro de la familia es una célula. Nosotros, como células, tenemos una opción… ¿vamos a ser células saludables o células cancerosas? Si escogemos ser células cancerosas, vamos a destruir a nuestra familia. Si escogemos ser células saludables, vamos a contribuir al crecimiento de nuestra familia y vamos a experimentar gozo y harmonía dentro de ésta. ¿Pero cómo llega alguien a ser una célula saludable?

La familia es la escuela del amor. Es dentro de la familia que nosotros experimentamos amor por primera vez, y el amor viene de los padres y de los abuelos. A medida que experimentamos más y más amor incondicional en nuestra niñez, ese amor echa raíces en nuestro corazón. A medida que crecemos, gradualmente comenzamos a entender cómo devolver ese amor a nuestros padres, nuestros abuelos, hermanos, y amigos. Es este tipo de ambiente familiar el que crea células saludables.

La persona que más influencia tiene en la familia o grupo de familias va a ser la persona que más **sirve,** la que más **sacrifica**, la que más **perdona**, la que más **ama**. Todos nosotros hemos escuchado las declaraciones audaces de una persona ambiciosa, «*Yo quiero hacer cosas grandes y cambiar este mundo para que sea un mundo mejor*». Es grandioso que ellos se sientan así y yo deseo lo mejor para ellos. Sin embargo, nosotros debemos entender que el cambio que nos gustaría ver en nuestro mundo está profundamente arraigado en los corazones de las personas de este mundo. La gente buena va a contribuir en la sociedad y va a aumentar armonía; y la gente mala va a destruir y crear caos.

Pero, ¿de dónde proviene la gente buena y la gente mala? Ambas provienen de familias. Cuando la familia se multiplica, el mundo automáticamente cambia para bien o para mal, dependiendo de qué clase de gente se está duplicando dentro de las familias. Para poder cambiar el mundo, tenemos que preguntarnos a nosotros mismos, «¿Somos células cancerosas o células saludables?». Siempre hay excepciones, pero lo más probable es que vamos a multiplicar lo que somos en nuestros corazones. Incluso, si hemos sido desafortunados de venir de un hogar desintegrado y abusivo, siempre podemos pedir prestado poder y valentía de muchos héroes que hay en la sociedad que provienen de orígenes similares, pero que han escogido tomar la decisión de no seguir duplicando el dolor, sino más bien comenzar la duplicación de amor por medio de su propia familia. El amor que le das a los miembros de tu familia nunca morirá, sino permanecerá en sus corazones y luego se multiplicará por medio de los hijos y los hijos de sus hijos. Llegará a ser una legado de amor.

Esto, sin embargo, es un gran reto que quizá vamos a experimentar con esta filosofía de vivir por el bien de los demás. El reto es este… **tú solamente puedes dar lo que tienes**. Si tienes amor en tu corazón entonces puedes dar amor a otros con mucha facilidad, pero ¿qué pasa cuando no tenemos más amor para dar? ¿Qué pasa cuando hemos derramado incondicionalmente todo nuestro amor a los miembros de nuestra familia año tras año y no recibimos nada? ¿De dónde agarramos amor para poder seguirlos amando? Debemos de tener una manera de reponer el amor en nuestro corazón, de otra manera simplemente se va a vaciar y se va a cansar de amar. Nosotros solamente podemos dar lo que tenemos. Si no hay amor en nuestro corazón, vamos a dar lo que nos queda; frustración, enojo y dolor. Personas lastimadas siempre lastimarán a otras personas.

¿De dónde conseguimos amor?

¿Cómo podemos reponerlo?

Cuando una madre tiene un recién nacido, a cada rato ese bebé llora para que lo alimenten, «*¡Gua! Gua! Gua!*». Luego llora para eructar, «*¡Gua! Gua! Gua!*». Luego llora para que le cambien pañal, «*¡Gua! Gua! Gua!*». Todos los días y todas las noches, durante muchos días el bebé toma y toma de la madre. El bebé solamente piensa en sí mismo... «¡Dame de comer! ¡Sácame el aire! ¡Cámbiame!». Día tras día, la madre es empujada a sus límites en cuanto a su energía y su paciencia. Por semanas y semanas la madre continuamente se entrega a sí misma hasta llegar al punto de agotamiento. ¿De dónde obtiene finalmente la madre toda esa energía para seguir amando al bebé? ¿Por cuánto tiempo puede ella seguir haciendo esto?

Hasta que un día en la noche, mientras le está dando de comer al bebé con sus ojos cerrados, ella mira hacia abajo al bebé abriendo solamente un ojo y mira que su bebé la está viendo a ella con los ojos bien abiertos, esos bellos ojos como un lago en un día de verano brillando hacia ella. De repente, por un solo segundo, el bebé suelta una sonrisa...y luego desaparece. Es como si el bebé estuviera tratando de decirle a ella, «¡Gracias!». Entonces la madre se llena de tanto gozo y grita a su marido que está dormido, «¡Despierta, despierta! ¡El bebé sonrió! ¡Dios mío! ¡El bebé sonrió! ¡Yo tengo el bebé más hermoso del mundo!». Lágrimas corren por su rostro del amor abrumador que ella siente por su niño...ella ya no duerme el resto de esa noche. Ella ya no se siente cansada. Ella tomó toda la energía que necesitaba de esa pequeña sonrisa de gratitud, el bebé finalmente respondió a la entrega de su amor incondicional.

Así que, ¿por qué sonrió ese bebé? En realidad no era una sonrisa. El bebé simplemente estaba sacando gas, y eso causó que se estirara su boca – pero no le digamos eso a su madre. Aunque estoy seguro que a ella no le importa lo que nosotros pensamos, ella sabe lo que vio y eso es suficiente para ella... «¡Mi bebé sonrío, aaaahhhh!»

Si le pregunto a la mayoría de los hombres, «¿cuántas lagartijas puedes hacer?» la mayoría van a darte un cálculo aproximado, «Quizás 20, 25, ó 30». ¿Pero es ésta realmente la cantidad que son *capaces* de hacer?

George dijo, *«yo puedo hacer 42».*

«¿Estás seguro que no puedes hacer más?»

«Yo he tratado muchas veces, y lo que más he llegado a hacer son 43 máximo.

«Está bien, adelante, da todo lo que puedas dar».

George se pone en posición y comienza. Las primeras 20 son fácil. Las siguientes 15 son más difícil, pero él lo logra. Luego, está llegando a las 36, 37, 38...él no está respirando mucho, usando toda la fuerza y enfoque que tiene...39, 40, sus venas en su frente están a punto de reventar. Él gruñe en voz alta, *«¡¡Cuuuaaarenta guaaaaaahhhhhh!!» y* se dice a sí mismo, «Yo sabía que no debía participar en esto». Él está en agonía y ahora la duda ha comenzado a deslizarse en cada músculo de su cuerpo. Fue realmente como un pensamiento de que no podía hacerlo lo que abrió la puerta, y la duda entró rápidamente. Parece como si George no va poder llegar a hacer los 42. La mayoría de la gente apostaría en su contra en estos momentos. De dónde va a sacar George la fuerza para continuar y lograr su meta, es obvio que no queda nada en su interior para dar.

Hay una escena en la película *300,* donde Leonidas, el líder del ejército espartano les grita a sus hombres, «*¡¡Espartanos!!, cuál es su profesión?*» y los 300 hombres levantan sus lanzas y cantan un rugido mortal que te daría escalofríos en la columna vertebral. «*¡Arhoooo! ¡Arhoooo! ¡Arhoooo!*». El sonido de las lanzas metálicas contra sus escudos hace un eco de poder en los cuerpos de cada uno de los guerreros.

Ahora, regresemos a George y sus lagartijas. «*¡Cuuuaaarenta guaaaaaahhhhhh!*» él está a la mitad de la lagartija 42, sus músculos están temblando y todos se preguntan si él va llegar a realizar el 42. De repente, él escucha una atronadora voz de Leonidas de un clip de la película *300,* «*¡¡Espartanos!!, cuál es su profesión?*» «*¡Arhoooo! ¡Arhoooo! ¡Arhoooo!*». El sonido de las lanzas metálicas contra los escudos de los guerreros espartanos hace un eco en cada músculo del cuerpo de George… y grita, «*¡¡¡42, 43, 44, 45!!!*».

Cada noche, en casi todas las ciudades y países alrededor del mundo, un Empresario de Mercadeo de Redes anda fuera mostrando su plan de negocios a algún prospecto. Él o ella está decidida a alcanzar su meta de tener libertad financiera y construir su red, una persona ambiciosa a la vez. Mientras conduce muchas millas en la lluvia o la nieve para reunirse con su prospecto, se sientan frente a frente, expresando compasión, su deseo de ayudar a otros a alcanzar su meta financiera para que ellos puedan alcanzar la suya. Con gran fe en su interior, vierte su corazón humildemente a sus prospectos para hacerlos soñar en grande. Pone su mejor esfuerzo para inspirar y transmitir esperanza a sus prospectos, comunicándoles que hay una manera en que ellos también puede alcanzar sus sueños.

Con mucha frecuencia, el empresario después de derramar sus creencias en el corazón de los prospectos, está obligado a escuchar las palabras, «*Yo no estoy interesado en el negocio; eso no va a funcionar para mí, y yo sé que no va a funcionar para ti tampoco, estás perdiendo tu tiempo*». El prospecto literalmente toma la creencia del empresario y pisa sobre ella. El empresario con mucho respeto acepta la decisión del prospecto y con su corazón rechazado y herido continúa su camino.

Cada vez que un empresario nuevo o mentalmente débil recibe «*No*»*s* consecutivos, su nivel de creencia definitivamente se agota. Después de recibir quince «*No*»*s* consecutivos, la energía y la fe de un empresario quizá esté a un nivel peligrosamente bajo. Después de experimentar «*¡No!*»*s* de manera repetitiva, ¿de dónde sigue sacando fe el empresario para continuar su viaje?

La confianza proviene de las reuniones de equipo, las convenciones, y la asociación con las «multitudes». Relacionarse con la fuente de poder, los líderes que ya han logrado el nivel de éxito que los empresarios nuevos están tratando de lograr, ese ambiente positivo va a volver a empoderarlos de confianza. Las relaciones son una clave absoluta que mantiene la confianza de las personas. Cada vez que recibes un «No» como respuesta de algún prospecto, experimentas asociación negativa. Eso siempre reduce un poco tu confianza. La asociación positiva te da poder, te devuelve la confianza que necesitas para poder seguir peleando para alcanzar tu sueños, por lo menos por un mes más.

Damas, tengo una pregunta para ustedes, ¿Qué sucede con el comportamiento de tu marido después de ver una película romántica? De repente el deja notitas de amor para ti en el espejo del baño. Él te trae flores solamente por la simple razón de decir «te amo». Él deja chocolates en tu almohada como lo hacen en los cruceros. Él comienza a abrir la puerta del carro para ti, de lado fuera. Él comienza a decir que te ves bella y radiante. Él incluso lava trastes sin que tú se lo pidas. ¿Qué le ha pasado a tu hombre? ¿De dónde ha sacado todos esos impulsos románticos?... de la película.

Ahora regreso a la pregunta original… *¿De dónde obtenemos amor cuando sentimos que ya no tenemos amor para dar? ¿Qué reabastece nuestro amor?*

Leer libros de espiritualidad y actitud mental positiva y practicar meditación definitivamente nos va a dar poder para que lleguemos a ser personas más empáticas y compasivas. Sin embargo, la mayor fuente de amor proviene de nuestra relación personal con Dios, nuestro Padre Celestial. Entre más cercana y más fuerte sea nuestra relación con Dios, más amor vamos a sentir en nuestro corazón. Cuando damos amor a Dios por medio de nuestras oraciones y hacemos su voluntad, el amor que regresa a nosotros es mucho más poderoso que el amor que nosotros le damos a Él. El amor que recibimos de Dios tiene una cualidad única en sí, en el sentido que nos anima a darlo tan pronto como lo recibimos, literalmente nos hace sentir ganas de dar amor a otros. El amor de Dios en nuestro corazón nos va a animar y empoderar para **servir** a otros, para **sacrificar** por otros, para **perdonar** a otros y para **amar** a otros.

¿Por qué las relaciones son tan importantes?

El **agujero emocional** en el corazón ha matado el espíritu de muchos.

No importa qué tantas cosas materiales ambiciosamente lleguemos a acumular por medio del éxito financiero, hay una parte de nuestro corazón que solamente puede ser llenada con el amor que proviene de las relaciones. Si se mantiene vacío, llegará a ser un agujero emocional en nuestro corazón. Hay muchos ejemplos de gente con éxito financiero que se han convertido en drogadictos o alcohólicos para llenar el vacío que duele en su corazón. Nosotros debemos tomar en cuenta el desarrollo de relaciones amorosas recíprocas como un logro de muy alto nivel, ya que la consecución de dichas relaciones no solamente nos da gozo y paz interior, sino que también nos da poder para lograr éxitos más grandes en todas las áreas de nuestra vida.

Yo siempre me he preguntado, acerca de nuestra muerte.

¿Cuál es la «cosa» más valiosa que podemos dejar en esta tierra?

¿Será cierto que no nos podemos llevar nada al mundo espiritual?

Yo he descubierto, y creo firme y profundamente que la respuesta a las preguntas de arriba es exactamente la misma.

La cosa más valiosa que podemos dejar en este mundo es amor. El amor que damos a otros no solamente vive para siempre en el corazón de las personas que amamos, sino que continúa multiplicándose y da poder a todos aquellos que lo recibieron e hicieron lo mismo. El amor que dejamos atrás es lo que hace de este mundo un mejor lugar de lo que era cuando nosotros partimos de esta vida.

Yo he escuchado a mucha gente decir: «*Tú no te puedes llevar nada contigo cuando te mueras*». Esta suposición es absolutamente falsa. Hay algo que puedes llevar contigo... **amor.** No solamente te puedes llevar el amor que recibiste de otros, sino lo más importante, tú también te puedes llevar, de manera profunda, el amor que das a otros. Entre más amor das a los demás durante el tiempo que vivas en esta tierra, más amor llevarás contigo cuando te vayas al mundo espiritual.

Capítulo 4

El matrimonio y algo más

«Mi esposa y yo fuimos felices por veinte años, luego nos conocimos.»

- Rodney Dangerfield

Como conferencista internacional, yo he dado conferencias a Empresarios de Redes de Mercadeo alrededor del mundo. En lo que respecta a la construcción de su negocio como pareja yo les digo a todos lo mismo: «*Si tienes un buen matrimonio, quizá no necesariamente te ayude a construir tu negocio más rápido y a conseguir los niveles altos de éxito que tú deseas. Pero sí te puedo asegurar una cosa, si tienes una relación mala, definitivamente va a afectar su negocio de una manera negativa*».

Yo he estado casado por 30 años, y tomó muchos años de estar casado para darme cuenta de algo que hoy en día parece algo tan obviamente estúpido. Cada vez que yo tenía una discusión con mi esposa, la discusión no solamente me afectaba de manera negativa, sino que también afectaba negativamente cada área de mi vida. Literalmente sacaba cada onza de energía que yo tenía, hasta el punto que yo no podía hacer otra cosa más que sentarme y mirar televisión todo el día.

Sin embargo, cada vez que las cosas estaban yendo de maravilla en nuestra relación, no solamente afectaba cada área de mi vida de una manera positiva, sino lo más importante, me empoderaba personalmente haciéndome sentir que yo podía hacer cualquier cosa porque tenía el apoyo y estímulo de la persona que más me importaba. Yo puedo tener docenas de personas diciéndome que tengo su apoyo, pero cuando mi esposa lo dice, es cuando hace realmente una diferencia.

Después de años de tener buenos momentos, malos momentos, luego buenos momentos, luego malos momentos, etc., yo comencé a pensar seriamente acerca de qué podía hacer para prevenir las discusiones, y de esa manera nosotros pudiéramos tener períodos más largos de buenos momentos en nuestra relación. Yo realmente sentí que si no hacía nada y simplemente dejar que las cosas siguieran su curso, las cosas simplemente iban a empeorar.

Cuando estábamos recién casados nunca teníamos discusiones; parecía que estábamos de acuerdo en todo… *«Cariño, a dónde te gustaría ir a comer?»…«Donde tú quieras ir está bien»… «Bueno, donde tú quieras está bien para mí»*.

Seis meses después… *«Cariño, vamos a Red Lobster.»… «¡Nosotros siempre vamos a Red Lobster! ¿Por qué no vamos a otro lado?»*

¿Qué cambió de repente? Los primeros 6 a 18 meses de matrimonio usualmente todo está bien porque cada cónyuge está enfocado en las necesidades del otro. Ellos tienen un amor ciego el uno hacia el otro. La meta primordial es hacer que el cónyuge se sienta feliz y especial; amándolo y sirviéndolo(a). Uno realmente vive por el bien de la otra persona, y pone a un lado sus propios deseos y necesidades. Pero en algún momento después de 6 ó 18 meses, uno o ambos cónyuges comienzan a sentirse cansados de complacer las necesidades del otro, especialmente si sus necesidades no están siendo satisfechas. Desde ese momento, el matrimonio comienza a decaer. Ya sea que su relación termine en divorcio, que la rescaten, si ellos se dan cuenta de lo que está sucediendo y se ponen de acuerdo para hacer los cambios necesarios en su comportamiento el uno hacia el otro. Su determinación y deseo de hacer los cambios necesarios en su comportamiento va a depender mucho de su definición personal del matrimonio. Lo que ellos piensan del matrimonio va a determinar su actitud y decisión de poner esfuerzo y hacer que su matrimonio tenga o no tenga éxito.

Yo voy a compartir contigo unas cosas que he aprendido en treinta años de matrimonio, cosas que he aprendido y que **todavía pongo en práctica**. Espero que estas perlas de sabiduría también contribuyan positivamente en tu relación.

1.- Entender a tu cónyuge

Yo comencé a leer libros educativos de relaciones y personalidades. Libros tales como *Positive Personality Profiles - D.I.S.C.* por Robert Rohm PhD. y *The Five Love Languages* (Los cinco lenguajes del amor) de Gary Champan. Estos fueron excelentes recursos; me ayudaron tremendamente. Robert Rohm PhD. habla de que existen cuatro clases de personalidad: *Dominante, Inspirador, Cauteloso y Servicial.* La mayoría de las personas son la combinación de sus dos rasgos más fuertes. Por ejemplo, una persona puede ser *Dominante y Cautelosa (DC) o Dominante y Inspiradora (DI).* La parte más importante de esta información es que si sabes qué tipo de personalidad es tu cónyuge, vas a tener más éxito comunicándote con él o ella porque puedes hablarle de la manera que su tipo de personalidad recibe tu comunicación.

Gary Chapman habla de los cinco leguajes del amor: *Palabras de afirmación, Actos de servicio, Recepción de regalos, Tiempo de calidad* y *Contacto físico.* Él enseña que la persona solamente se sentirá completamente amada cuando la amas en su lenguaje de amor único. Por ejemplo, si sigues comprando regalos para mostrar lo mucho que lo amas, quizás el otro no se sienta amado si su lenguaje de amor no es ese. Si su lenguaje es *Contacto físico*, tomarse de las manos o abrazarlo lo hará sentir más amado que recibir regalos.

Esta clase de libros me ayudó a entender mejor a mi esposa y porqué ella se comportaba de tal manera, y lo más importante, poder predecir su comportamiento. Yo necesitaba esta información urgentemente porque parece que cuando yo me casé tenía un ojo cerrado, y después de 6 ó 18 meses mi otro ojo se comenzó a abrir lentamente y comencé a ver todos sus errores. Yo estoy seguro que a ella le ocurrió lo mismo. No por gusto se le llama: **amor ciego.**

2.- Entendiéndote a ti mismo

Sin embargo, el mayor cambio para mí, vino de leer libros de crecimiento personal sobre temas como **actitud, carácter,** y **espiritualidad**. Estos libros me enseñaron a dejar de ver los errores de mi esposa y enfocarme en mí mismo. Era como si las palabras de estos libros fueran una declaración para mí, «*¡Despierta! Mira dentro de ti, la respuesta está ahí. Si quieres que tu matrimonio mejore, ¡tienes que arreglar tu corazón! ¡El problema es tu corazón, no tu esposa!*»

Yo todavía recuerdo un día hace muchos años atrás, cuando decidí ser responsable y tomé la decisión de trabajar para mejorar mi matrimonio. Lo primero que hice fue, discretamente grabar todas las quejas de mi esposa. Cada vez que ella se quejaba de algo, hacía algo o dejaba de hacer algo, yo lo escribía en un pedazo de papel:

«El lavatrastos está lleno de trastes sucios.»

«Dejaste tu ropa interior en el piso otra vez.»

«La cocina está hecha un desorden.»

«El recipiente de la basura está lleno.»

Cada vez que se quejaba, yo lo escribía. Después de un par de días, yo pensé entre mí, *«voy a necesitar un pedazo de papel más grande»*.

Después de una semana noté algo extraño. Mi mujer no se quejaba de 100 cosas diferentes: eran las mismas 5 ó 6 cosas de siempre que se repetían una y otra vez. Simplemente parecía que eran como 100 porque yo no me estaba haciendo cargo de éstas lo suficientemente rápido.

Después de un par de semanas, yo básicamente sabía cuales eran las quejas. Yo decidí proponerme la meta de eliminar cada una de ellas una por una antes que se convirtieran en queja.

Debido a que me estaba enfocando en las necesidades de mi esposa, yo tuve éxito en eliminar casi todas las quejas. Desafortunadamente, había una queja que yo no podía eliminar. Mi esposa tendría que vivir con ésta porque no pensaba ir al veterinario pronto... yo estoy seguro que tú puedes adivinar cuál era la queja. Lo voy a dejar a tu imaginación.

3.- Victimismo

Al inicio de nuestro matrimonio mi esposa y yo solíamos tener tantas discusiones, y cada vez que yo le echaba la culpa a ella por la mala relación que teníamos. Eso me hacía sentir como la víctima. Yo pensaba entre mí... *«¡Es su culpa! Ella va a provocar que nos divorciemos. ¿Por qué no entiende lo malo que está haciendo?»*

Entre más la culpaba, más me sentía como la víctima impotente. La decisión de tener o no tener un buen matrimonio, a mi parecer, estaba en sus manos. Todo cambió cuando yo cambié mi actitud y decidí hacerme responsable de mi matrimonio. Llegué a comprender de manera profunda... mi esposa es

producto de mi comportamiento. Si me comporto de cierta manera, ella se comporta de cierta manera. Si cambio mi forma de comportarme, su forma de comportarse también cambia. Esta epifanía me dio el poder y la creencia que en realidad yo podía crear el matrimonio que yo deseaba, en lugar de espera que saliera bien por casualidad, lo cual se originó de un cambio de corazón.

4.- Escoge tus batallas sabiamente

Cuando yo miro hacia atrás y me acuerdo de la razón por la cual discutíamos constantemente, en mi opinión las discusiones eran por cosas pequeñas e insignificantes, como por ejemplo, dejar los trastes en el lavatrastos o la ropa interior en el piso. ¿Por qué tanto escándalo por eso? Eso no es nada, pero ella comenzaba la III Guerra Mundial por eso. Yo me di cuenta de algo GRANDE, esas cosas no eran *insignificantes* para ella; realmente le molestaban. Para ella eran señales de lo poco considerado que yo era, porque yo era quien hacía el desorden y esperaba que ella lo limpiara. Déjame darte un ejemplo. Esto es lo que ella sentía que yo estaba diciendo cuando dejaba mi ropa interior tirada en el piso…

«Mi querida dulce esposa, yo soy el Rey de esta casa. Esta es mi ropa interior. Yo estoy dejando mi ropa interior ahí en el piso porque yo estoy muy ocupado y tú no tienes nada que hacer todo el día. Yo te estoy bendiciendo con el honor de recoger mi santa ropa interior, levantándola por encima de tu cabeza como señal de respeto, y cuidadosamente poniéndola en la canasta de la ropa sucia. Gracias, esclava mía.»

Esto definitivamente no era lo que yo estaba pensando cuando dejaba mi ropa interior tirada en el piso, pero realmente supongo que no importa lo que yo estaba pensando. Lo único que importaba era cómo mi esposa estaba interpretando mi comportamiento y cómo la hacía sentir. Yo aprendí una gran lección. Yo no puedo influenciar la manera que mi esposa interpreta mi comportamiento, pero yo sí puedo cambiar mi comportamiento. Después que aprendí esta valiosa lección, yo comencé a escoger mis batallas sabiamente.

Cuando la casa estaba nítida y ordenada, mi esposa se convertía en la mujer con quien yo me casé: dulce, amable, todo un ángel. Cuando yo dejaba mi ropa interior tirada en el piso, mi esposa se convertía en un monstruo. La elección de la persona con quien yo quería vivir estaba en mis manos. Desde ese día yo decidí nunca más dejar mi ropa interior tirada en el piso, en cuanto me levantaba iba directamente a mi bolsillo y luego a la canasta de la lavandería.

Cada vez que ponía un traste en el lavatrastos y estaba a punto de retirarme, pensaba en las consecuencias y eso me hacía regresar al lavatrastos. Mientras lavaba el traste yo me motivaba a mí mismo diciendo, «*Bella, dulce, ángel amable. Yo no quiero un monstruo en mi casa*».

Yo recuerdo que ya para terminar esa misma semana, yo estaba en la cocina cuando mi hijo pasó caminando con unos trastes sucios. Él los puso en el lavatrastos y comenzó a retirarse. «*¡Oye, ¿adonde vas!?...Arriba... Yo sé para donde vas, pero ¿por qué no lavas tus trastes?...Ah, yo estoy ocupado haciendo algo... bueno, ¿y quién se supone que va a lavar tus trastes?...mmmm, supongo que mamá o tú... Párate aquí por un segundo y déjame mostrarte lo que realmente le estás comunicando a tu madre con tus acciones*».

«*Yo soy el príncipe de esta casa. Estos son mis trastes sucios. Yo estoy muy ocupada para lavarlos yo mismo. Yo los dejo en el lavatrastos para que mi madre o mi padre los lave, porque ellos no tienen nada mejor que hacer. Gracias, mis esclavos.*»

«Papá, eso no es lo que yo estoy diciendo»... «No importa lo que tú estés diciendo verbalmente, tus acciones lo están diciendo por ti.»

Esa fue la última vez que él dejó sus trastes sucios en el lavatrastos. El lugar de dejarlos en el lavatrastos, él los dejaba en su cuarto. Él tenía trastes amontonados en su cuarto. Pero eventualmente cada noche bajaba y los lavaba todos al mismo tiempo. Finalmente él aprendió la lección. Él entendió que sus acciones estaban enviando mensajes no verbales sin tener en cuenta sus verdaderas intenciones.

5.- La zona de peligro

Cuando mi esposa y yo recién nos casamos, nuestra relación estaba llena de curiosidad, emoción, aventura, diversión y sorpresas. Todo era una experiencia nueva. Pero tengo que ser honesto contigo, después de veinte años, ya no quedaba mucha curiosidad. Todo llegó a ser bastante aburrido porque todo era muy predecible, sin aventura, y sin sorpresas. Esta es una etapa muy peligrosa en la que pueda entrar una relación. Por suerte, yo me di cuenta de esto y decidí hacer que las cosas fueran un poquito más emocionantes. Hay dos cosas que mi esposa y yo estuvimos de acuerdo en hacer y que hicieron una gran diferencia. La primera fue una *Salida Sorpresa*. Cada mes nosotros nos turnábamos para planear una salida el uno con el otro. Eso trajo de nuevo la sorpresa, la diversión y la aventura, porque ni ella ni yo sabía lo que el otro tenía planeado. Todo lo que podíamos hacer era esperar.

La segunda cosa que hicimos el uno por el otro fue *«noche de chicas»* y *«noche de chicos»* respectivamente. Yo me di cuenta que cada vez que mi mujer salía con sus amigas se divertía a lo grande, totalmente diferente que cuando ella salía conmigo. Con las chicas, después de que ella llegaba a casa y me contaba las historias de lo que había pasado, se reía como loca, «*¡ja ja ja!*». Ella nunca se reía así cuando estaba conmigo. Así que yo siempre la animaba a salir con sus amigas a divertirse. Yo pensaba y me decía a mí mismo, «*Querida, ve y ríe todo lo que puedas con tus amigas; diviértete y luego regresa a casa feliz, a mí*». Era mejor que una copa de vino. ¡Siempre funcionaba de maravilla!

6.- Siempre sé el primero en decir «lo siento»

Cuando nos casamos, yo pensé que me estaba casando con un angelito dulce y apacible. Después de un par de meses me llevé una gran sorpresa. Ella no era tan apacible como yo la miraba. Esta muchachita era tan fiera como un tigre...«¡¡¡Wehhhh!!!».

Cada vez que teníamos una discusión, ella dejaba de hablarme. Primero por un día, luego 2 días...luego 3 días...luego 4 días...a veces no me hablaba por una semana. ¡Esta chica estaba loca! Yo le preguntaba, «*¿Cuántos días vas a estar así conmigo sin hablarme?*»...ella contestaba: «*No fue mi culpa*».

Ella era mucho más testaruda que yo. Ella nunca decía «lo siento», no importaba qué, aunque hubiera una pequeña posibilidad de que fuera su culpa. Yo tenía que admitir 99% de las veces y decir que era mi culpa, pero aun así, una semana sin hablarme, eso es una sentencia considerable para cualquiera. ¡Ella podría haber pasado como un monje que estaba tomando un voto de silencio! (Lo digo en broma.) ¡No le digas que yo dije esto, porque va a dejar de hablarme otra vez!

Después de experimentar muchos «tratamientos de silencio» a lo largo de los años, yo me di cuenta que si quería acortar o terminar con estos episodios, era mejor que aprendiera a pedir disculpas sin importar quien tenía la culpa. Para un matrimonio es muy peligroso cuando no hay comunicación verbal, especialmente se estás casado con alguien que es competitivo. No hay recompensa para la persona que permanece en silencio más tiempo.

Yo tomé la decisión de pedir disculpas primero, cada vez que teníamos una discusión yo me disculpaba, aunque fuera su culpa. Muchos años después, en este día muy particular, por primera vez, ella me dijo en voz baja, «lo siento»... ¡Ave María Santísima! Yo me puse de rodillas, estiré mis brazos, con las palmas de mis manos hacia el cielo y grité de agradecimiento. *«¡Gracias Dios!».* Fue un milagro del cielo escuchar esas palabras.

Ese día sucedió una cosa hermosa: yo me di cuenta que solamente tenía que decir *«lo siento»* continuamente, cierta cantidad de veces, para que mi esposa comenzara a decirlo. Hoy en día, si discutimos, nosotros no dejamos de hablarnos el uno al otro más de más o menos una hora. *«Lo siento»* es una frase muy importante en el matrimonio. Es como el pegamento, lo mantenemos a la vista y lo usamos con frecuencia.

Yo le dije a mis hijos que lo mejor que ellos pueden hacer si sus padres están enojados con alguno de ellos, especialmente yo, su padre, es decir *«lo siento»* tan pronto como sea posible. Eso va a desinflar la ira tan rápido como el aire sale de un globo. Pero decir *«lo siento»* es algo muy difícil para la mayoría de la gente, porque cuando se necesita más, totalmente contradice las emociones que estamos sintiendo por dentro. Ambas partes creen firmemente y se sienten que están en lo correcto, así que, ¿por qué decir *«lo siento»* primero? Cada uno tiene en la mente que el que lo diga primero, pierde. Esta manera de pensar es el problema. En una relación no debería de ser para perder o ganar, todo debería de ser para mantenerse en armonía y mantener la paz.

Si quieres mantener la paz en tu matrimonio y tu familia, no seas tan orgulloso y di «*lo siento*». Se necesita más valor y un corazón más noble para decir «*lo siento*», que no hablar. Estar solo en silencio no es ganar. ¡Simplemente di «*lo siento*»!

7.- Únete al mundo de tu esposa

La película *What Dreams May Come*, se trata de una pareja que perdió sus dos hijos adolescentes en un accidente automovilístico. La madre estaba agobiada por el dolor. El dolor de perder a sus hijos había llegado al límite, y literalmente le había rasgado el corazón en dos. Ella cayó en una crisis nerviosa y terminó en un hospital siquiátrico después de que intentó cometer suicidio. Su esposo era extremadamente fiel y la iba a visitar al hospital tan a menudo como podía. Durante una de sus visitas, su esposa dejó caer un bombazo sobre él.

«*Yo creo que nos deberíamos de divorciar...*»

«*¿Qué estás diciendo?*»

«*Somos demasiado diferentes. En primero lugar, ¿por qué tú no te enloqueciste también? ¡Tus hijos murieron...!*»

«*Yo sé. Yo recuerdo el silencio en la casa. Yo pensé que debería ser fuerte por el bien de los dos...*»

«*¿Por mí?*»

De repente, el esposo se dio cuanta de lo que había hecho mal. Él sabía que tenía que *ser fuerte* por su esposa, pero para él, la definición de ser fuerte significaba *no mostrar emociones*. Mostrar sus emociones en presencia de su esposa hubiera sido un absoluto fracaso para él como hombre. Él creía que mantener la compostura estoica reflejaba la fuerza que su esposa necesitaba y podía confiar, en caso de necesitarla.

Aun cuando él quería desesperadamente ganarle al dolor con el que estaba luchando, él llegó a darse cuenta que era un error creer que la única manera de ganar era no mostrar emociones. Su verdadera batalla no era en contra del dolor, sino que estar conectado con el corazón de su esposa.

«Yo saqué el dolor como pude, y lo hice con tanta fuerza que me desconecté de la persona a quien más amaba. A veces cuando tú ganas, tú pierdes. Debido a que no me podía unir a ti, te dejé sola, sola para que enfrentaras el dolor por ti misma».

La lección más grande que yo aprendí de esta película fue, que el secreto para desarrollar buenas relaciones es dejar tu mundo y unirte al mundo de tu pareja. Si el esposo hubiera mostrado su dolor abiertamente a su esposa, ella hubiera sentido el deseo profundo consolarlo, incluso con el dolor que ella estaba atravesando, justo como el deseo que él sentía de consolarla a ella. El deseo de consolarse el uno al otro hubiera atraído sus corazones hacia el mismo mundo.

Yo tengo dos hijos, y por años yo me pregunté a mí mismo «¿Cómo puede un padre desarrollar una relación estrecha con sus hijos?» Después de ver esta película, finalmente conseguí la respuesta...**uniendo sus mundos.**

Antes de ver esta película, yo no me daba cuenta, pero siempre estaba tratando de que mis hijos se unieran a *mi* mundo, para que vieran el mundo de la manera que yo lo miro. Yo creía que si los ayudaba al ver el mundo de la manera que yo lo miro, ellos estarían tan agradecidos conmigo que querrían estar más cerca de mí. Pero esta estrategia no funciona si tú estas tratando de tener una relación cercana con tus hijos.

Es bien sabido que si quieres caerle bien alguien, tú tienes que mostrar interés en *esa persona* en lugar de tratar que esa persona se interese en ti. La misma regla se aplica con tus hijos. Si quieres que ellos te amen, tienes que mostrar interés en ellos. ¿Cómo haces esto? Únete a su mundo.

Unirte al mundo de tus hijos no es fácil. Como padres, nuestro mundo es siempre el mismo, nosotros vivimos en el Mundo de los Padres. Pero cuando se trata de nuestros hijos, su mundo sigue cambiando a medida que ellos van creciendo. Si no entendemos esta verdad, trataremos al hijo de 10 años como si tuviera 5 años; y al de 15 años como si tuviera 10.

Cuando mi hijo mayor tenía 16, yo tomé la decisión de unirme a su mundo. Yo sabía que su pasión era el baloncesto, así que ese era el mundo al que yo debía unirme. Yo le dije a mi hijo que iba a comenzar a jugar baloncesto y que necesitaba que me enseñara a jugar. Hubieras visto su cara, él tenía una sonrisa de oreja a oreja… «*Papá, ¿de veras quieres jugar?*»

«*Sí, pero necesito tu ayuda. Yo quiero que seas mi entrenador. Tú dime qué hacer y yo lo haré*». Yo le tiré una pelota de baloncesto a mi hijo y grité, «*¡vamos!*». Él comenzó a enseñarme cómo rebotar la pelota, cómo defender y cómo anotar. Él definitivamente se estaba divirtiendo. El semblante de tu rostro me dijo exactamente donde estaba yo…en SU mundo.

Yo recuerdo un día en particular cuando mi esposa y yo estábamos viendo un programa de televisión y mi hijo pequeño entró a la habitación para ver qué estábamos viendo. Él se sentó tranquilamente pero no dijo nada. Minutos más tarde, durante el comercial, mi esposa decidió ir a traer una bebida a la cocina. Tan pronto como ella salió de la habitación mi hijo susurró: «*Papá, ¿te gusta este programa?*» Yo contesté, «*Realmente no*».

«Yo sé porqué lo estás viendo.»

«¿Por qué?»

Él susurró en vos más baja: *«Tú estás tratando de unirte al mundo de mamá»*. Obviamente él había escuchado uno de mis CDs. Todo lo que le pude contestar fue: *«Ya deja de ser un sabelotodo»*. Él sabía que estaba en lo cierto porque no paraba de reírse.

Poco después de ver la película *What Dreams May Come*, yo decidí hacer un pequeño ejercicio que me ayudó a entender mejor el mundo de mi esposa. Yo comencé a escribir todas las cosas que se me venían a la mente que mi esposa hacía diariamente, y todas las cosas que yo pensaba que la ponían tensa. Yo quería sentir lo que ella sentía. Yo quería experimentar las cosas que ella experimentaba diariamente y así poder entender su mundo. Aquí tienen sólo un poco de lo que yo descubrí...

Por lo regular, la mayoría de las noches mi esposa se iba a la cama a la misma hora que yo, cerca de la media noche. En la mañana se levantaba antes de que yo me levantara, así que ella siempre dormía menos. Ella hacía la refacción para los niños y después se iba al trabajo. Durante la semana ella hacía cena, lavaba trastes, ayudaba a los chicos con su tarea, lavaba la ropa, limpiaba la casa, pasaba la aspiradora, sacaba la basura y ponía los niños a dormir.

La lista se estaba haciendo más y más grande. Además de todas las cosas que mi esposa hacía, todos los meses tenía que aguantar los cólicos y los dolores de cabeza debido a la falta de hierro, como le pasa a la mayoría de las mujeres durante ése período del mes. Mientras escribía, yo estaba dando gracias a Dios de no ser mujer.

Para agregar más a la larga lista, antes de que mi esposa y yo nos casáramos ella estuvo de acuerdo con que mis padres, ya jubilados, vivieran en la misma casa que nosotros. Era como si mientras que ella estaba poniendo un anillo en mi dedo, también lo estaba poniendo en el dedo de su suegro y el de su suegra. Era como una oferta que venía en paquete completo. Ella se estaba llevando tres por el precio de uno. Mi esposa nunca había vivido en un hogar donde ella fuera la única mujer encargada. Ella renunció a su privacidad de 25 años porque me amaba y me respetaba. Solamente después de que hice esta lista descubrí realmente lo maravillosa era la mujer con quien me había casado.

El la Biblia dice: «*Mujeres, respeten a sus maridos. Maridos, amen a sus mujeres*». Yo lo estaba haciendo mal... Yo no entendía que el *amor* incluye *respeto*. Yo pensé que yo estaba amando a mi esposa cuando le decía, «*te amo mi amor, y a propósito, aquí esta mi calzoncillo*». Yo amaba a mi esposa, pero me di cuenta que yo no la respetaba.

Después de que hice esta lista, mis ojos fueron abiertos para ver cuánto realmente estaba mi mujer haciendo y sacrificando por nuestro matrimonio. Yo vine a darme cuenta que ella merecía todo el respeto que yo le podía mostrar. ¡Yo estaba casado con una mujer maravillosa que tenía un corazón tan grande que ni yo mismo me daba cuenta!

Yo sugiero a todos los hombres que estén leyendo este libro que hagan también una lista, y cuando la hagan, se darán cuenta lo maravillosa que es la mujer con quien están casados. Si se te hace difícil encontrar cosas para escribir, yo estoy seguro que tu esposa te puede ayudar a hacer la lista un poquito más larga.

8.- Medio-Ciego

Hace un par de años atrás yo me estaba rasurando en el baño, y mientras me secaba la cara comencé a leer la etiqueta en el bote de spray. Mientras leía, yo me di cuenta que el final de la oración estaba del otro lado del bote, y desde donde yo estaba parado no podía leer qué decía. Mi esposa también estaba en el baño maquillándose. Ella estaba del otro lado del bote, así que le pregunté: «Qué dice el bote en la primera línea?» Mientras ella lo leía yo me di cuenta de algo tan maravilloso. Sin mi esposa yo no hubiera podido ver el otro lado… **sin mi esposa, yo soy medio-ciego.** Nosotros nos necesitamos el uno al otro para ver la imagen completa. Aunque tu cónyuge piensa que ve el mundo de diferente manera que tú; tú tienes que aprender a respetar el punto de vista de tu cónyuge, de otra manera vas a estar medio-ciego. Nosotros deberíamos esperar y tener la esperanza que el punto de vista de nuestro cónyuge sea diferente al de nosotros; de esa manera poder ver un panorama más amplio de la situación antes de tomar una decisión, aunque sea difícil escucharla. Como pareja, podemos llegar a ser más poderosos si de buena gana nos beneficiamos de los diferentes puntos de vista.

9.- Películas: *Pursuit of Happiness vs. Cinderella Man (En busca de la felicidad vs Hombre cenicienta)*

Cuando llegaron los tiempos difíciles al matrimonio, «¿Qué hizo cada una de las parejas?»… En la película *The Pursuit of Happiness*, cuando llegaron los tiempos difíciles en cuanto a la finanzas, la esposa se dio por vencida. Ella se fue. Ella abandonó a su marido y a su hijo en el momento en que ellos más la necesitaban. Yo no estoy diciendo que ella no tenía justificación por haber dejado a su marido, yo simplemente estoy diciendo que huir del problema no soluciona el problema, especialmente cuando hay un niño de por medio.

El la película *Cinderella Man (Hombre cenicienta)*, cuando llegaron los tiempos difíciles financieramente, la esposa no los abandonó. Ella estuvo al lado de su marido y sus tres hijos. Ella escogió apoyar a su marido no importando lo difícil que llegara a ser la situación.

Solamente cuando eres probado en tiempos difíciles y tienes problemas en tu matrimonio tienes la oportunidad de demostrar tu verdadero valor a tu compañero de vida. Es fácil apoyar a tu cónyuge cuando las cosas van bien, pero los esposos estupendos y esposas estupendas son aquellos que están ahí para su cónyuge cuando llegan los tiempos difíciles…eso es lo que los hace estupendos.

10.- Película – *Roots* (Raíces)

Las palabras más maravillosas que he oído que un marido le dice a su mujer las escuché en la película *Roots* (Raíces). Esta película es acerca de la esclavitud. Chicken George se convierte en un hombre libre cuando la ley cambió en su pueblo natal. Desafortunadamente, su esposa y sus hijos siguen siendo esclavos porque ellos son de un estado diferente donde la antigua ley permanece en vigor. La pareja se encuentra en un dilema desgarrador. Si el esposo permanece con la familia perderá su libertad y volverá a ser esclavo. Pero para ser un hombre libre, él tiene que salir del pueblo en el cual su esposa y sus hijos siguen siendo esclavos. Él y su esposa tienen que tomar la decisión más difícil en su vida matrimonial. Ambos deciden que será mejor que el esposo salga para ser un hombre libre, hacer algo por sí solo y luego regresar al pueblo natal de su esposa con la esperanza de que la ley haya cambiado. Así que con gran dolor y tristeza, y de muy mala gana, George deja a su esposa y a sus hijos.

Muchos años después, el viejo Chicken George finalmente

puede regresar con su familia. En la primera noche, cuando él está al lado de su esposa en la cama, él la escucha llorar. Cuando él le pregunta porqué está llorando, ella contesta: *«Hace muchos años cuando tú te fuiste yo era joven y bella. Ahora, yo estoy vieja y arrugada, yo tengo miedo de que ya no me ames». Su respuesta es simplemente reconfortante. «Mujer, yo no te veo con los ojos, yo te veo CON MI CORAZÓN».*

Cuando hagas esa lista para entender mejor el mundo de tu esposa, tú también vas comenzar a ver a tu esposa con el corazón.

La raíz de la mayoría de los problemas en el matrimonio comienza con esta creencia común: «Si mi esposa me trata mejor, entonces yo la voy a tratar mejor». ¡Esto es un estancamiento! Si ninguno de los dos actúa, el matrimonio está condenado.

Así que, ¿quién debería actuar primero?

¡Deberías de ser TÚ!

Capítulo 5

Siempre corre tras tu pasión

«Los dos días más importantes en tu vida son, el día que naciste y el día que te diste cuenta porqué naciste.»

- Mark Twain

Durante años yo me preguntaba a mí mismo, «*¿Qué debería yo estar haciendo con mi vida?... ¿Cuál es mi propósito?... ¿Por qué estoy aquí?*

Hoy en día yo realmente creo que el propósito número uno en la vida es descubrir y correr tras nuestra pasión. La pasión a la que me estoy refiriendo no es solamente un ítem singular. Yo realmente creo que podemos tener más de una pasión porque tenemos más de una faceta de nuestra vida.

Nosotros podemos realmente estar apasionados por nuestro trabajo, o porque estamos construyendo un negocio en particular al mismo tiempo. También podemos estar realmente apasionados por nuestra salud, y al mismo tiempo estar realmente apasionados por la relación que tenemos con nuestros hijos, nuestra esposa y con Dios. Mucha gente me ha dicho, «*Estás en lo correcto, pero ¿cuál es tu pasión más grande*»? Mi respuesta es siempre la misma, «*Yo tengo una pasión grande en cada área de mi vida*».

Plantado dentro y de cada uno de nosotros en lo individual, hay semillas latentes de pasión ansiosas por germinar, pero como toda semilla, ellas solamente van a crecer en un medio ambiente correcto. Exposición a los elementos correctos es esencial para que la semilla deje salir la pasión que lleva dentro. El único camino por el cual estas semillas de pasión pueden recibir vida es por medio de los sentidos. Cuando nos ponemos a nosotros mismos en diferentes ambientes experimentamos cosas nuevas, lo que vemos, escuchamos, tocamos, sentimos, olemos y probamos es lo que da vida a la semilla. Por medio de la estimulación de uno o varios sentidos simultáneamente, como el amor a primera vista, una conexión se lleva a cabo entre el elemento y la semilla.

Una vez que esta conexión es consolidada por intensidad de experiencia, se crea un camino por medio del cual viaja energía del elemento y comienza a vibrar. Cuando vibra, la energía se intensifica y se extiende a través de nuestro cuerpo. Nosotros podemos sentir esto en diferentes maneras: piel de gallina... nuestro corazón late más rápido... se nos paran los pelos... lágrimas empiezan a caer. Estos son algunos de los indicios de la pasión que llevamos dentro. Pon atención a lo que te hacer llorar, a lo que te pone la piel de gallina, a lo que captura tu atención, a lo que no puedes sacar de tu mente. Las semillas de pasión están tratando de concientizarte de su presencia, ¡no las ignores!

¿Cómo sabes si has encontrado tu verdadera pasión?

En la película *Meet Joe Black* hay una grandiosa escena que representa de una manera brillante cómo uno sabe si ha descubierto su verdadera pasión cuando se trata de encontrar su compañero de vida. La siguiente es una conversación entre un padre y su hija:

Padre: «¿Amas a Drew?»

Hija: «¿Quieres decir si lo amo como tú amas a mamá?»

Padre: «Olvídate de mí y de tu mamá, ¿te vas a casar con él?»

Hija: «Tal vez. Escúchame, yo estoy loca por ese tipo. Él es inteligente, agresivo, él pudiera llevar la Parish Communications y a mí junto a él al Siglo 21. ¿Y eso qué tiene de malo?»

Padre: «Eso es para mí. Yo estoy hablando de ti... No es lo que dices de Drew, es lo que no dices.»

Hija: «Quizás no me estás escuchando.»

Padre: «Claro que sí... no hay una onza de entusiasmo, ni un susurro de emoción. Esta relación tiene toda la pasión de un par de carboneros cresta negra. ¡Yo quiero que te dejes arrastrar por ahí! ¡Yo quiero que te eleves al espacio! ¡Yo quiero que cantes con entusiasmo y dances como derviche!»

Hija: «Ah, ¿eso es todo?»

Padre: «¡Sí, que seas inmensamente feliz!... O por lo menos estar abierta a serlo».

Hija: «Está bien, ¿ser locamente feliz?... Yo haré mi máximo esfuerzo.»

Padre: «Yo sé que es una cursilería, ¡pero el amor es pasión! ¡Obsesión! Alguien sin quien no puedes vivir. Me refiero a que te enamores con locura. Encuentra a alguien a quien amar con locura y que te ame de la misma manera... ¿Cómo lo encuentras? Bien, te olvidas de tu cabeza y escuchas con tu corazón. Yo no estoy escuchando ningún corazón, porque la verdad es como la miel, no tiene sentido vivir la vida sin esto. Hacer el viaje y sin enamorarse profundamente. Bueno, no has vivido la vida del todo. Pero tienes que tratar de hacerlo porque no has tratado, no has vivido. Mantén tu mente abierta. Quién sabe, un rayo podría golpear.»

Una vez que hayas descubierto tu verdadera pasión, no serás

capaz de contener tus deseos, estarás continuamente siendo empujado desde adentro para perseguirlo. Escucha esa voz interna y persigue tu pasión con todo lo que tienes, porque la verdadera pasión te llevará al camino que eventualmente revelará tu verdadero propósito en la vida. Si estás pensando, «*¿Y qué pasa si tengo más de una pasión, como lo mencionaste anteriormente? ¿Cómo afectará eso el propósito en mi vida en general?*» Si descubres que tienes más de una pasión verdadera en diferentes áreas de tu vida, estarás impresionado de ver cómo tus pasiones de alguna manera trabajan juntas para llevarte al mismo propósito. Sin embargo, también ten en mente que no hay ley que esté en contra de tener más de un propósito en tu vida.

Una vez que hayas descubierto tu propósito en la vida, es por medio de ese propósito que vas a hacer tu contribución. Primero, vas a contribuir a tu propio crecimiento personal y desarrollo. A medida que luches, pelees, fracases varias veces y sigas peleando con una actitud de determinación, vas a crecer mental y emocionalmente. Es tu pasión, tu deseo de lograr tu sueño lo que te da el poder, y es mediante la superación de los desafíos que tú ganas sabiduría.

A medida que vas creciendo, vas a contribuir con tu familia, luego con tu comunidad, y posiblemente con el mundo, dependiendo de qué tan fuerte y cuánto tiempo sigas persiguiendo tu pasión. Entre más grande es tu sueño, más grande es tu contribución. La contribución que hagas, eventualmente se convertirá en tu legado. Las personas que no logran descubrir su pasión, usualmente están aburridas con su vida. Las personas que no logran perseguir su pasión, no logran encontrar su propósito en la vida, y como resultado, harán poca o ninguna contribución para ellos mismos o para otra persona y no dejan un legado. Una vez que se hayan ido, habrá poca evidencia de que ellos vivieron.

Cuando descubras tu verdadera pasión, no vas a tener que preocuparte de tu autoestima, saldrá de ti de manera natural. Tu deseo ardiente va a crear confianza dentro de ti. Baja autoestima es simplemente una señal que tú no has encontrado tu verdadera pasión. Así que, ¿cómo encuentras tu verdadera pasión?... tienes que buscarla activamente. Si estás teniendo problemas para descubrir tu verdadera pasión, mira en áreas de tu vida que nunca antes has visto. Observa las vidas de los grandes hombres y las grandes mujeres que admiras. Tu pasión quizás esté entrelazada.

Cuando eres testigo de una persona que ha tenido un gran triunfo en la profesión o campo y siendo reconocida en el escenario por sus logros, ¿qué pensamientos te vienen a la mente? ¿Qué piensas mientras ellos caminan por el escenario y reciben su galardón? ¿Has tenido alguna vez estos pensamientos?

«¡Yo visto mejor que ellos...yo tengo mejor cabello que ellos... yo puedo caminar con más gracia que ellos...yo puedo hablar mejor que ellos... yo puedo hacer fácilmente lo que ellos han hecho...yo voy a alcanzar el nivel más rápido que ellos...yo voy a romper su record!»

Es fácil decir eso cuando ves a la gente desde afuera. Pero lo que ves por fuera no es lo que los hizo exitosos. Desde afuera...

¡Tú no puedes ver la verdadera pasión ardiendo en lo profundo de su corazón!

¡Tú no puedes ver las batallas y los retos en los que ellos estaban enterrados!

¡Tú no puedes ver el dolor por el que atravesaron!

¡Tú no puedes ver las lágrimas que derramaron!

Tú no puedes ver el tiempo en que ellos fueron derribados y cayeron de rodillas una y otra vez, cuando querían darse por vencidos, pero de alguna manera ellos pudieron sacar fuerzas de adentro, se pudieron levantar ellos mismos y continuaron persiguiendo su sueño.

Lo que está incrustado en lo profundo del corazón de una persona es lo que hace que esa persona sea exitosa, no es lo que ves por fuera. Así que, mi pregunta para ti es esta… Cuando la vida te derriba, cuando las batallas y retos parecen demasiado grandes y abrumadores, ¿de dónde vas a sacar la fuerza para levantarte y seguir adelante?

¿Vas a poder levantarte tú solo como lo hacen las personas de alto rendimiento? Yo no estoy hablando de *no darse por vencido*, yo estoy hablando de levantarte tú mismo y correr tras tu pasión. Cualquiera puede decir, «*Yo no me voy a dar por vencido*», pero la pregunta es, ¿Cómo te vas a levantar cuando seas derribado? Si no sabes cuál es tu verdadera pasión, cuando las cosas se pongan difíciles tú te vas a detener, independientemente de qué tan animado pienses que estás ahora. Cualquiera se puede golpear el pecho cuando está emocionado entre la muchedumbre. Pero cuando estás lastimado por el rechazo y la duda, y estás tú solo con tus pensamientos, ¿dónde vas a conseguir la fuerza para seguir golpeándote el pecho para desafiar el fracaso?

Hace unos años, mi hijo más pequeño vino hacia mí quejándose de la escuela. «*Papá, ¿qué tengo que estudiar tantas materias en la escuela? ¿Por qué no puedo escoger solamente tres que me gusten de verdad y trabajar con esas?*»

«*Los maestros no saben dónde y cuál es tu verdadera pasión.*

Ellos están tratando de ayudarte a descubrirla, exponiéndote a todas las materias posibles.»

A través de los años yo he entrenado a muchos hombres de Negocios de Redes y vendedores profesionales. La mayoría de mis reclutas, después de pocas semanas de entrenamiento de sus mentores saben lo que deben hacer para poder llegar a tener éxito. El reto que muchos de ellos enfrentan no es que ellos no saben *qué* hacer, el reto es que no saben *cómo* hacer lo que hacen de manera consistente.

En muchas industrias de Negocios de Redes, la mayoría de veces cuando le preguntas a un hombre casado, «¿Por qué estás construyendo tu Negocio de Redes?» con frecuencia su respuesta es: *«Quiero que mi esposa deje de trabajar. Quiero que ella sea libre»*. Este hombre de negocios fiel sale noche tras noche determinado a lograr su objetivo. Él muestra su plan de negocios a nuevos prospectos una y otra vez de manera continua por dos meses y luego deja de hacerlo. Él no sabe cómo y porqué ha perdido el impulso. Él no entiende porqué su deseo de sacar a su esposa de trabajar ha perdido su poder.

La verdad es que para la mayoría de los hombres, eso es exactamente lo que es, *solamente* un sueño, pero no...*el sueño*. No era *su* verdadera pasión. Era simplemente una gesto noble que tenía poder, el poder suficiente para que el esposo estuviera lo suficientemente activo por dos meses. Pero ¿por qué ya no? Mientras continuamos leyendo libros de crecimiento personal, escuchando CDs de seminarios educativos, vamos a crecer y cambiar interiormente: cómo pensar, cómo hablar y actuaremos de diferente manera durante tres meses a partir de hoy. Como cuando la serpiente cambia su piel, así también nosotros vamos a cambiar nuestro viejo hombre y vamos a ser nuevas personas con mejores hábitos y carácter mientras seguimos en este camino de educación.

Es muy importante entender que mientras cambiamos nuestro interior, existe una buena oportunidad para que nuestra pasión y nuestros sueños también cambien. Lo que nos inspiró y nos llevó a estar súper activos seis meses atrás, quizá ya no nos dé poder hoy en día. Tenemos que estar consientes del poder de nuestra verdadera pasión. Si vemos que estamos reduciendo la velocidad y perdiendo fuerza, debemos de tomar tiempo para encontrar una pasión nueva. Para muchos individuos, descubrir su pasión o sueño es más difícil que lograrlo.

Es un hecho común que todos los grandes líderes de la industria de Redes de Mercadeo aprueban y promueven una actividad a la que ellos llaman *Construyendo-un-sueño.* Es una actividad que está totalmente dedicada al propósito de encontrar el verdadero sueño y verdadera pasión. Pero una de las cosas más importantes que debemos de tener en mente es que, nuestra verdadera pasión no siempre es una entidad visible. Muchas veces está escondida muy dentro del corazón de la persona y debe ser extraída de manera laboriosa. Al igual que cavar una mina para encontrar oro o piedras preciosas, muchas veces pensamos que hemos encontrado lo que hemos estados buscando, solamente para decepcionarnos porque no era lo que realmente estábamos buscando.

Una vez que la pasión verdadera haya sido descubierta, su poder es simplemente invaluable. En la Industria de las Redes de Mercadeo, si ayudas a un compañero a descubrir su verdadera pasión, tu trabajo para mantenerlo motivado se ha terminado; él o ella será prácticamente imparable. A través de los años yo he descubierto 12 clases diferentes de sueños y pasiones. Yo los llamo *Fórmulas estratégicas.* Cuando una fórmula pierde su poder y ya no inspira súper actividad, cambiar de fórmula es absolutamente necesario. Estas fórmulas son fuentes de poder. Cuando la vida nos derriba, lo más probable es que el poder que necesitamos para levantarnos y seguir hacia delante se origine de esas 12 fórmulas.

Aquí está la fórmula # 1…

Capítulo 6

El poder del sueño material

(Fórmula #1)

«Toda lo grandioso ha sido realizado por tontos que soñaron.»
- Testy McTesterson

Hay muchas personas a quienes verdaderamente les encantan los autos deportivos. De hecho, cuando ven un Porsche, un Ferrari o un Lamborghini bonito rugiendo por la calle, su corazón comienza a acelerarse y por un momento breve ellos se trasportan a otro mundo por medio de la imaginación. Un mundo donde ellos y solamente ellos son reyes de la carretera y masters de esa bestia consumidora de gasolina. Detrás del volante ellos sienten el poder del animal salvaje en sus manos. ¿Será demasiado poderosa o la podrán domar? Esto es lo único en sus mentes… *«Brrrrrrr! Brrrrrr!!... «Tranquilo muchacho»*… Ellos están completamente consumidos por el poder y la belleza del automóvil. Sus sueño de volverse uno mismo con esta máquina poderosa se vuelve realidad por un instante.

Cada líder de negocios te va a decir que es de vital importancia conseguir una fotografía del automóvil de tus sueños, de la casa de tus sueños, de las vacaciones con las que sueñas, del barco de tus sueños, del reloj de tus sueños, del avión de tus sueños, o cualquiera que sea tu sueño material y que lo pongas en tu pared para que seas inspirado por su belleza y el poder visual que emana cada vez que lo miras. Tu deseo y anhelo profundo por éste, va a irradiar energía para ti y te va a empujar consistentemente a la acción que eventualmente va a resultar en realización.

El auto de los sueños de George es un Ferrari. Él en verdad cree que un día va a ser dueño de su propio Ferrari. Él le tiene el ojo puesto en un 458 Spider de capota dura retractable, 419KW de poder, 0 a 100KM/h en 3.4 segundos con velocidad máxima de 320KM/h. Él da un paso atrás, respira profundo, se detiene, mira fijamente su futuro automóvil y luego lentamente deja salir un respiro profundo... «*Ahhhhhhhh*».

Todos los días cuando entra a su oficina, George se inclina sobre la foto del auto de sus sueños y la besa... «*Bebé, muy pronto serás mío*». Aproximadamente una semana después George entra en su oficina, mira la fotografía del auto de sus sueños y saluda, «*Bebé, muy pronto serás mío*». Esta vez él no besa la fotografía, solamente saluda. Pocos días después, cuando George entra a su oficina, él ve la fotografía de su Ferrari y sonríe... No hay beso ni saludo. Pocas semanas después, George entra a su oficina, se va directamente a su escritorio y comienza a hacer su trabajo... él no besa la fotografía de su Ferrari, no la saluda, ni siquiera le sonríe. De hecho, él ni siquiera se dio cuenta que estaba ahí. Por arte de magia se ha convertido en papel tapiz. La fotografía del Ferrari, la fotografía de su sueño ha perdido su poder.

Es muy importante entender que el verdadero poder sostenible no proviene de una fotografía... El verdadero poder proviene de la experiencia.

George tiene que ir a un concesionario de Ferrari y experimentar con todo lo que pueda, la *personalidad* de su sueño. Es la personalidad lo que él necesita para conectarse y llegar a ser uno con ésta, no solamente una imagen. Él necesita abrir la puerta de ese auto y deslizarse en los asiento de cuero cosido. Mientras cierra la puerta del auto él necesita sentir el golpe profundo del cojín en sus tímpanos. Él tiene que respirar lenta y profundamente por su nariz y oler la calidad del cuero con que está encapsulado por dentro. Él tiene que tomar un momento y disfrutar la belleza de las luces, los colores, los contornos y los detalles inmaculados del interior del auto. Él necesita deslizar sus dedos a través del tablero y sentir la suavidad, la rica esencia de la superficie. Él tiene que tomar la palanca de cambios de una manera contundente y mantener su mano ahí por un rato, permitiendo que la potencia del motor apagado se filtre dentro de cada una de las arterias de su cuerpo hasta que eventualmente bombee en su corazón. Mientras él escucha y siente en su interior el rugido del motor, él se convierte en uno solo con su sueño.

Cuando George suelta la palanca de cambios, de repente se desconecta a sí mismo de la fuente de poder. Él alcanza la manija de la puerta, empuja y abre la puerta del auto y de mala gana de desliza hacia fuera del auto. Él camina triste y se aleja del auto de sus sueños y se dirige hacia el auto que posee actualmente. Mientras se mete a su carro oxidado y cierra la puerta, él experimenta inmediatamente una sacudida de la gran diferencia en la calidad. Cuando cierra su puerta, ésta suena más como el traqueteo de una lata. El olor del auto nuevo se ha convertido en un olor parecido a una hamburguesa vieja y la mitad de las luces del tablero no funcionan. George inclina su cabeza avergonzado y deja escapar un suspiro profundo. Una lágrima rueda en su mejilla mientras que siente que su corazón se rompe. Él anhela tanto estar de nuevo en los brazos del auto de sus sueños. Justo en ese momento, George promete que nunca va volver a renunciar a su sueño, y va a regresar a reclamar lo que sabe que es su destino.

Cuando una persona experimenta su sueño material íntimamente, la emoción de esa experiencia entra en el corazón de esa persona y agita su alma. Su pasión recién nacida comienza a impulsarlo para llevar a cabo espectaculares hazañas de actividad. Darse por vencido ya no es una opción. Ellos van a continuar peleando hasta que finalmente alcancen sus sueños.

Aunque existen muchos sueños materiales bellos en el mundo, a los cuales podemos aspirar, existe un grupo selecto de individuos que creen fuertemente y promueven que el deseo de tener un sueño material es algo inmoral. Ellos confiesan orgullosamente que son justos porque ellos se rehúsan a correr tras un objeto material.

«No es correcto soñar con Ferraris y mansiones cuando hay tantos niños hambrientos en todo el mundo».

Ellos dicen esto con tanta compasión que se sientan en sus sillones reclinables y continúan cambiando los canales de su televisión. Lo triste de esto es que mucha de esta gente, no solamente no están haciendo nada para ayudar a la gente hambrienta que hay en el mundo, sino también están desaminando a otros a que corran y logren su sueño material a través de la predicación falsa de la culpabilidad.

Algunas de estas personas que dicen que esto es erróneo, secretamente, muy en el fondo de su corazón, les encantaría tener un Ferrari, pero deciden luchar contra su pasión y siguen creyendo que *«¡eso es malo!»*. Ellos simplemente no se van a permitir a sí mismos a sentir emoción por un sueño material. Y muchos de ellos, mientras que confiesan su motivación por alimentar al hambriento, no pueden levantarse del sillón.

Tener pasión de ser dueño del auto de tus sueños o pasión por alimentar al hambriento son ambos, por derecho propio, grandes aspiraciones. No hay nada de malo en ninguno de los dos. Lo que tenemos que entender es que existe un propósito y una pasión para alcanzar lo que te apasiona. La pasión del sueño que estamos tratando de lograr tiene un propósito significativo en general…¡darnos poder! ¡Los sueños nos dan poder! Poder para hacer cambios en nuestra vida y en la vida de otros. Sin poder nada va a cambiar.

Si tu verdadera pasión es tener un Ferrari, persíguelo con todo lo que tienes, porque cuando lo consigas, no solamente vas a tener un Ferrari, también tendrás suficiente dinero para dar de comer al pobre.

¡¡¡Siempre persigue tu pasión!!!

Capítulo 7

El poder del dolor

(Fórmula #2)

«El dolor no está tratando de detenerte, está tratando de llevarte a algún lugar.»

- Autor desconocido

Fue cinco años atrás que Peter y Mary celebraron su décimo aniversario de boda. Ellos tenían dos hijos hermosos, una niña de 6 años llamada Anna y Thomas que acababa de cumplir 5. El trasfondo de Peter era ingeniero de sistemas y su esposa era auxiliar de contabilidad. Ellos vivían en una pequeña casa de pueblo y tenía dos carros que funcionaban la mayor parte del tiempo. Por muchos años, Peter había luchado para mantener un trabajo estable. La industria de sistemas había sido duramente golpeada y él solamente había podido conseguir trabajos de consejería en lugar de conseguir un trabajo de tiempo completo. Las malas rachas entre contratos eran siempre un desafío financiero.

En su familia, Peter era quien se encargaba de las finanzas. Mary y Pete tenían una buena relación y Mary le confiaba a Pete por completo para que se encargara del dinero de la familia. Las cosas estaban bastante bien hasta que ellos se vieron afectados por obstáculos financieros inesperados.

Un invierno, después de llegar a casa de unas maravillosas vacaciones en Costa Rica, ellos encontraron el sótano de su casa completamente inundado con tres pies de agua. Los DVDs de Peter y los juguetes de los niños estaban flotando en las aguas residuales. El olor era repugnante. Peter estaba absolutamente fuera de sí. Mary nunca lo había visto tan enojado. Ella le dijo más de una vez, «*Peter cálmate, es solamente agua, el seguro se va a encargar*». Cuando ella dijo esto, el rostro de Peter se volvió tan blanco como la muerte misma. Parecía un fantasma.

Mary no podía creer cuando Peter comenzó a decirle que él no había pagado la prima del seguro por los últimos tres meses porque estaba tratando de ponerse al día con unas facturas que debían. Él iba a comenzar a pagar las primas nuevamente después del invierno. El costo para reparar el daño era casi de $20.000.

El costo de las vacaciones también fue puesto en la tarjeta de crédito al igual que muchas otras cosas. La tarjeta había llegado a su límite varias veces y Peter seguía incrementando el límite. Él no quería decepcionar a su esposa. Él tenía que proveer para su familia y tenía que mantener su dignidad a costa de lo que fuera. Solamente los intereses ascendían casi $300 al mes.

Una semana después, se arruinó la trasmisión de uno de los autos. El auto no se podía reparar a menos que la unidad fuera reemplazada por completo. Y para añadir más a su miseria, Pete no podía encontrar un empleo en su profesión, así que él no tuvo más remedio que aceptar un empleo de tiempo completo en el departamento de reparto y envíos de una compañía papelera. Era un ambiente de trabajo horrible y le pagaban la mitad de lo que ganaba en su anterior trabajo. La situación financiera de Peter y Mary era absolutamente desastrosa. El saldo de su cuenta de ahorros estaba prácticamente en cero. La equidad de la casa fue usada para pagar la reparación. El valor de su casa en el mercado de bienes y raíces era menos que la hipoteca que ellos debían, así que ni siquiera podían venderla para salir de deudas, y su tarjeta de crédito estaba al máximo.

Ellos estaban viviendo y trabajando solamente para pagar todas las facturas, y algunos meses ni siquiera podían hacer eso.

La relación entre Mary y Peter siempre había sido muy buena, pero ahora el estrés y la situación financiera los estaba llevando a ambos a sus límites de tolerancia el uno hacia el otro. Aunque Mary aún respetaba y amaba a su esposo, quedaba muy poca paciencia y gozo en el hogar. Cada día que Mary regresaba a casa del trabajo, ella veía a Pete en su oficina con su cabeza sobre sus manos en completa desesperación. Ella no sabía qué decir para sacarlo de su depresión.

Eso pasó cinco años atrás. Hoy en día la vida de Peter y Mary es muy diferente. Ellos no tienen deudas y están muy cerca de ser financieramente independientes. Mary trabaja tiempo parcial, y solamente cuando ella quiere. A ella le encanta ser madre de tiempo completo para sus hijos, siempre estar ahí para darles la bienvenida cuando ellos regresan de la escuela. ¿Cómo cambió la vida de Mary y Peter de manera tan drástica?

Peter siempre había sido un soñador cuando él estaba en sus 20s. Él quería tener mucho éxito, pero una vez que tuvo su familia, por alguna razón comenzó a acomodarse en su nuevo mundo. Él no podía conseguir la inspiración para salir y hacer lo que siempre había soñado. Seguía sintiendo que debería de estar en casa con sus hijos todo el tiempo. Por alguna razón, perdió la visión de sus sueños y comenzó a conformarse con cualquier cosa que se le presentaba en el camino. Simplemente no podía sacudirse y salir. A él le estaba faltando el catalizador, la chispa que reavivara su fuego interno.

Para Peter, el catalizador no era su sueño de gran éxito, sino su dolor. Déjame llevarte de regreso a un momento muy especial en la vida de Peter.

Era un lunes frío y húmedo. El sol no se había dejado ver por un tiempo, probablemente se había ido de vacaciones. El cielo estaba cubierto de nubes sucias y enojadas. Peter acababa de terminar de trabajar y estaba caminando lentamente para su automóvil en el estacionamiento. Él se estaba parando deliberadamente en las pozas de agua solamente para agregar emoción a su vida monótona. A él no le importaba nada, se sentía miserable y frío. Incluso si hubiera sido un día bello y soleado, seguramente se hubiera sentido miserable de todos modos. No era el clima en el ambiente, sino el clima en el interior de Peter. Él no solamente estaba cansado del día duro de trabajo, él estaba mentalmente agotado, ahogándose en deudas y sin ninguna esperanza. Era como si hubiera estado viviendo a la orilla de un precipicio a bordo de una avalancha de lodo.

Cuando Peter finalmente se metió en su auto, no arrancó su auto de inmediato. En vez de eso, se sentó y se quedó viendo fijamente el edificio del que acababa de salir. El forro de cuero que cubría el volante comenzó lentamente a absorber el agua llovediza de las manos de Pete. El vidrio del parabrisas comenzó a ponerse brumoso a causa del calor corporal de Peter y no se podía ver a través de éste porque estaba brumoso, pero Peter no necesitaba ver más allá para ver lo que estaba buscando. Por diez largos minutos se sentó y con ojos penetrantes mirando fijamente el edificio donde trabajaba. Agarrado del volante, comenzó a apretarlo más y más. Su rostro comenzó a temblar un poco. Sus ojos se comenzaron a llenar de lágrimas. Una lágrima logró escaparse del ojo derecho y lentamente cayó sobre su regazo. Peter se limpió los ojos con el revés de su mano y luego arrancó el auto. Antes de marcharse, sacó el bolsillo derecho de su chaqueta un CD que un compañero de trabajo le había dado. Puso el CD, comenzó a escucharlo y comenzó a manejar. No tenía idea en lo absoluto que la decisión de presionar PLAY iba a afectar la dirección de su vida para siempre.

El orador del CD estaba hablando acerca del potencial de la Industria de Mercado de Redes y como cualquier persona, de cualquier trasfondo, podía llegar a ser financieramente exitosa siempre y cuando tuviera un sueño y una ética sólida de trabajo. La ética de trabajo es clave porque estarán construyendo un negocio aparte de su trabajo de tiempo completo. Luego él comenzó a hablar de los principios del éxito y la libertad financiera.

El CD finalizó justo cuando Peter estaba estacionando en la entrada del garaje, pero Peter no salió del auto. En lugar de eso él retrocedió el CD a cierta parte en particular con la cual él se había conectado…

Todos vivimos en un país donde somos libres de tomar nuestras propias decisiones de cómo vivir nuestras vidas. ¿Cuántos de ustedes toman decisiones todos los días? Todos tienen sus manos levantadas, pero, ¿es realmente cierto esto? En realidad ¿estás TÚ tomando esas decisiones? Permíteme hacerte una pregunta:

La hora que pones tu alarma para levantarte entre semana, ¿es esa tu elección?

¿Qué haces para ganarte la vida? ¿Es esa tu decisión?

El número de horas que pasas en el trabajo, ¿es esa tu elección?

El auto que conduces, ¿es esa tu elección?

La cantidad de dinero que te pagan por lo que haces, ¿es esa tu lección?

La cantidad de dinero que das a organizaciones benéficas, ¿es esa tu elección?

La comida que ordenas en el restaurante, ¿es esa tu elección?

La cantidad de tiempo que pasas con tus niños, ¿es esa tu elección?

A dónde te vas de vacaciones y cuánto tiempo te quedas ahí, ¿ es esa tu elección?

Cuando estás de rodillas en tu baño, alanzando la taza de inodoro y limpiándolo con tus propias manos, ¿es esa tu elección?

No nos engañemos a nosotros mismos. Nosotros no elegimos hacer eso. Fue la falta de dinero lo que hizo la elección por nosotros. Nosotros quizás vivamos en un país libre, pero la verdad es que, nosotros no somos verdaderamente libres hasta que somos financieramente libres.

De repente Peter alcanzó el reproductor de discos compactos y presionó stop. Había escuchado lo suficiente. De repente él apretó su puño derecho y con los nudillos blancos, él golpeo el centro del volante y comenzó a llorar. Él estaba disgustado y enojado con la realidad de su vida. Sabía que él era el único responsable de su situación. Se sintió como un completo y absoluto fracaso. La agonía mental, el dolor insoportable había llegado a su límite. Él estaba en la encrucijada del camino de su vida.

Muchas personas han estado en una situación similar a la de Peter. Todo se resume a la forma en que interpretas y asimilas el dolor. Muchos han interpretado el dolor insoportable del fracaso como una señal al final de su viaje. Ellos han permitido que el dolor destruya sus esperanzas y sus sueños, y sencillamente se han dado por vencidos. Sin embargo, existen muchos ejemplos grandiosos de gente exitosa alrededor del mundo, quienes han interpretado el dolor de una manera completamente diferente. Ellos han escogido usar el dolor que están sintiendo para empoderarse a sí mismos. Esto es exactamente lo que Peter eligió hacer.

Cuando Peter golpeó el volante con su puño, aunque él estaba totalmente inconsciente, su dolor estaba siendo internalizado y transformado en poder, mientras él gritaba la realidad de su vida dentro de su mente.

¡Yo odio mi vida!

¡Ya no soporto estar en la ruina!

¡Cada vez que mis hijos me piden algo, yo me siento avergonzado por no poder dárselos!

¡Yo odio mi trabajo! ¡Ahí me tratan como perro!

¡Ya no voy a vivir así!

¡Voy a hacer lo que sea necesario para cambiar mi vida!

Cuando el nivel del dolor de Peter alcanzó un punto de no retorno, se convirtió en el catalizador que él desesperadamente necesitaba; la chispa que encendió un explosivo dentro de sí, y literalmente lo forzó a cambiar la dirección de su vida dramáticamente a través de su actitud.

No hay nada malo en permitirte a ti mismo ser inspirado a la acción por medio del dolor. Pensar en tu dolor está bien, siempre y cuando sea solamente por un período corto de tiempo. Sin embargo, se convertirá en un problema si te enfangas en él, porque lo que *piensas*, lo que *hablas*, y lo que *sientes* continuamente va atraer más de eso mismo. Así que no pienses demasiado en tu dolor. Úsalo solamente como una fuente de poder para que te ayude a seguir adelante, luego enfócate en lo bueno que quieres en la vida en lugar de pensar en lo malo que no quieres que suceda.

Capítulo 8

El poder de la venganza

(Fórmula #3)

«La mejor venganza es un éxito masivo».
- Frank Sinatra

Al inicio de la película *Braveheart*, William Wallace es presentado como alguien que estaba cómodo viviendo su vida bajo la tiranía inglesa. Él no estaba inspirado en lo absoluto para pelear. Solamente quería vivir su vida como agricultor. Después de eso, una par de sus compañeros escoceses se le acercaron para que se uniera a ellos en las reuniones secretas donde ellos maquinaban la manera cómo atacar a los ingleses…

Tu padre fue un gran guerrero y patriota…

Yo sé quien fue mi padre. Yo regresé a casa a plantar cosechas y, si Dios quiere, una familia. Si puedo vivir en paz lo voy a hacer.

Cuando era niño Wallace había sido testigo de muchas muertes, incluyendo la de su padre y su hermano, y aunque era un joven capaz de unirse a la pelea, no sentía ninguna motivación para pelear contra los ingleses.

Sin embargo, todo cambió cuando su esposa fue secuestrada y asesinada. De repente, Wallace fue absorbido completamente por el dolor y la agonía del brutal asesinato de su esposa. Su dolor dio a luz una forma poderosa de inspiración: *venganza*. Este fue el catalizador que encendió la pelea y eventualmente resultó en la libertad de todos los escoceses.

Es posible que la venganza sea vista como una motivación negativa, pero muchas veces en el viaje hacia el éxito, cruzaremos caminos con ciertos individuos que se convertirán en más que críticos de nuestras mentes. Cruzarán la raya. De alguna manera nos herirán espiritualmente. Como un puñal todavía clavado en nuestro corazón, el desprecio nos duele hasta la médula.

En ocasiones no hay sueño que nos provea tanto poder como el sueño de la venganza. No es la clase de venganza de hacer daño a alguien físicamente sino una batalla de opiniones y posición social.

Existen muchos negociantes muy exitosos que son continuamente inspirados a lo largo de su viaje por el ridículo al que han sido expuestos por sus asociados y ciertos miembros de familia. Ellos se recuerdan constantemente no solamente lo que otros dicen a sus espaldas, sino lo que se les ha dicho de manera arrogante en su propia cara:

¿¡Qué has hecho en tu vida para sentirte orgulloso!?

¡Tú nunca vas a lograrlo!

¡Acéptalo, eres un perdedor, y siempre serás un perdedor!

¡Vas a abandonar eso, como lo has hecho con todo lo demás que has empezado!

¡No va a funcionar!

¿Por qué no piensas? ¡Te han lavado el cerebro otra vez!

¿Todavía andas manejando esa chatarra oxidada que tienes como auto?

¿Yo pensé que habías dicho que ibas a ser rico?

¡Yo no puedo salir contigo, no tienes nada de lo que yo quiero!

¡Ni siquiera puedes hablar bien, nunca vas a tener éxito!

¿Quién te va a contratar?

Uno en un millón logran lo que tú quieres lograr, ¡tú no lo vas a lograr!

Palabras como estas que duelen, sí, pero con la mentalidad correcta, pueden convertirse en poderosas fuentes de inspiración. Y si creemos con todo el corazón que la mejor venganza es el éxito rotundo, vamos a ser empoderados para levantarnos y continuar yendo tras nuestro sueño hasta que lo logremos.

Capítulo 9

El poder de las consecuencias

(Fórmula #4)

«En la naturaleza no hay ni recompensas ni castigos, solamente hay consecuencias.»

- Robert G. Ingersoll

Son las 2:00am de la madrugada del jueves. John acaba de llegar de la fiesta de cumpleaños de su amigo que cumple 30 años. Se divirtió muchísimo, pero ahora sabe que tiene que irse a la cama rápidamente. Cuando su cabeza toca la almohada, comienza a sentir pavor del hecho que en menos de cuatro horas se tiene que levantar para ir al trabajo. John está realmente cansado y se duerme en cosa de segundos.

Así como cada día de la semana, el ruidoso despertador suena fuerte a las 6:00am en punto. John se da la vuelta y en lugar de levantarse de la cama, decide sacrificar su cereal de desayudo y pulsa el botón de repetición. Eso le permite dormir diez minutos más.

De pronto el despertador comienza nuevamente a sonar. Parece ser más ruidoso que la vez anterior. John siente como que su cabeza pesara cien libras. Apenas puede levantarla. Parece como si una fuerza de un ciclo de sueño profundo lo está jalando hacia adentro. Su mente comienza a amonestar a su cuerpo ... «¡Hombre, tienes que levantarte! Tienes que irte al trabajo!»... «¡Ya lo sé, ggrrrrr!» John golpea nuevamente el botón del despertador, dispuesto a sacrificar su ducha, por otros diez minutos de sueño.

El despertador suena por tercera vez. John está en absoluta

agonía de sueño. Él no se quiere levantar. De repente abre sus ojos completamente y se queda mirando fijamente a la nada por 5 segundos. Salta de la cama, se viste rápidamente y sale corriendo al trabajo.

¿Qué estaba John pensando cuando estaba mirando fijamente a la nada por 5 largos segundos? Era la misma cosa que lo sacó de la cama...¡las consecuencias! Mientras John está acostado en su cama contemplando si debería o no ir al trabajo ese día, él comienza a pensar acerca de las consecuencias de seguir durmiendo.

Si no voy a trabajar voy a perder mi trabajo... Si pierdo mi trabajo, no voy a tener un cheque de pago... si no tengo pago, voy a perder mi auto y mi casa... ¡Me voy al trabajo!. El poder de las consecuencias empoderaron a John para actuar en conformidad. Y justamente como John, muchas veces en nuestra vida el poder que necesitamos no proviene de nuestros sueños, sino del temor a las consecuencias. *¡Si no levanto ese teléfono voy a ser esclavo del dinero por el resto de mi vida!...¡Si no hago lo que es necesario, nunca voy a ser financieramente libre!... ¡Si no hablo con esa chica ella va a terminar siendo esposa de algún otro!.. ¡Si no persigo mi pasión voy a lamentarlo por el resto de mi vida!*

Hace unos años atrás cuando mi hijo mayor tenía 17 años, vino a mí y me dijo que había tomado la decisión de no asistir a la universidad. Eso no solamente fue decepcionante, sino que me sorprendió por completo porque yo no tenía ni la menor idea de dónde venía esta idea. ¿Cómo sería posible persuadirlo para que asistiera a la universidad si ni yo mismo lo había hecho? Él estaba haciendo exactamente lo que yo hice cuando tenía su edad, y ahora yo entendí como se sintieron mis padres. Una vez que se me pasó la sorpresa inicial de la noticia, yo tuve una idea. Yo no discutí con el muchacho sobre su decisión, sino que agarré una par de periódicos.

«Está bien, supongamos que has terminado la escuela ahora y quieres conseguir un trabajo. Busquemos en los periódico y veamos para qué trabajos estás calificado, tomando en cuenta que solamente tienes experiencia en McDonalds y no tienes título». Comencé a leer el listado de trabajos que no requerían ningún título ni especialización en educación. Cuando yo estaba leyendo en voz alta él respondía «Sí» o «No» dependiendo de si él quería ese tipo de trabajo para sí mismo:

¿Mensajero? - «NO»

¿Empleado de bodega? - «NO»

¿Empleado de fábrica? - «NO»

¿Vendedor al por menor? - «NO»

¿Trabajador de construcción? - «NO»

¿Vendedor telefónico? - «NO»

¿Empleado de gasolinera? - «NO»

¿Mesero? - «NO»

¿Limpieza? - «NO»

¿Niñero? - «NO»

«Ya es suficiente papá, ¿qué otros trabajos hay que son buenos? »

«¿Quieres decir otros trabajos para los cuales se necesita tener un título universitario? » Yo señalé las oportunidades de trabajo a nivel de gerencia.

«¡Sí, esos!»

Comencé a leer todas las ofertas de trabajo bueno. Todos exigían ya sea un título, o un título y dos años mínimo de experiencia laboral. Después de que me escuchó leer como cinco oportunidades de trabajo, dijo exactamente lo que yo estaba esperando escuchar, *«Muy bien papá, entiendo tu razonamiento.»*

Las consecuencias de no tener un título universitario motivaron suficiente a mi hijo para que retomara el camino de sus estudios y se enfocara en asistir a la universidad. Él calificó con un promedio de 88.8% y entró al Co-op Programa de Administración de Negocios de la Universidad de Toronto. Yo no pelee ni forcé a mi hijo para que tomara esa decisión. Yo hice que él hiciera uso de su propia imaginación e imaginara a su futuro tomando en cuenta las consecuencias si él tomaba la decisión de no asistir a la universidad. Una vez que él experimentó las consecuencias, se dio cuenta por sí solo que necesitaba más preparación si quería un mejor futuro.

Hay una escena en la película *Braveheart* donde William Wallace está a punto de montarse en su caballo y cabalgar para ir a hablar con un noble escocés acerca de unir fuerzas para poder vencer a los ingleses. El mejor amigo de Wallace trata de persuadirlo porque él piensa que el noble escocés está aliado a los ingleses.

¡Es una trampa, estás ciego!

Tenemos que tratar. Nosotros no podemos hacer esto solos.

Unirnos con los nobles es la única esperanza para nuestra gente. ¿Sabes qué va a pasar si no nos arriesgamos?

¿Qué?

«*¡Nada!...* »

¡Yo no quiero ser un mártir!

Yo tampoco, yo quiero vivir. Yo quiero un hogar con hijos y vivir en paz. Yo le he pedido a Dios todas estas cosas, pero no sirve de nada si no tenemos libertad...

¡Es solamente un sueño William!

¿Solamente un sueño? ¿Qué hemos estado haciendo todo este tiempo? Hemos vivido ese sueño.

Cuando Wallace escucha a su mejor amigo decir: *Yo no quiero ser un mártir,* él sabe que el miedo ha entrado en el corazón de su compañero guerrero. Aunque el mismo Wallace siente temor de ser capturado, él es empoderado por un temor más grande, las consecuencias de no hacer nada. Wallace sabe muy bien que alguien tiene que pagar el precio por la libertad...y él está dispuesto en ser ése alguien.

¿Estás dispuesto **TÚ** a pagar el precio para cambiar tu vida?

Capítulo 10

El poder de rendir cuentas

(Fórmula #5)

«Yo soy la única persona que tiene que rendir cuentas de los resultados que hayan en mi vida.»

- Colleen Hoover

«¡Cuando el gato no está los ratones hacen fiesta!» ¿Cómo se comportan los empleados después de saber que el jefe no va a estar por un día? Es bastante chistoso… algunos empleados se van a la oficina del jefe y se sientan en su silla con los pies sobre el escritorio. Algunos se toman más tiempo para el almuerzo, y otros se aprovechan por completo y hablan todo el día por teléfono y navegan en la red del Internet.

Sin embargo, algunas personas te van a decir que su productividad no es afectaba por la ausencia del jefe, y que ellos van a continuar trabajando tan arduamente como siempre lo han hecho. Estoy seguro que esto es cierto para algunos, pero para otros, cuando su jefe no está presente su enfoque y productividad definitivamente disminuyen.

Para algunos empresarios que están tratando de construir su propio negocio es muy fácil volverse haraganes ya que ellos son los únicos encargados. Muchos de ellos desean secretamente tener una persona a quien rendir cuentas porque saben que si tuvieran alguien a quien tengan que rendir cuentas, serían más productivos. En cierto momento en nuestra vida, tener que darle cuentas a alguien es en realidad algo que nos da mucho más poder que nuestros sueños. Siempre vamos a poner más esfuerzo y hacer más para otros que para nosotros mismos.

Jill era empresaria de redes de mercadeo y madre soltera con dos hijas adolescentes. Ella había estado tratando de construir su negocio por largo tiempo. Ella tenía un gran talento y gran potencial de convertirse en líder. Ya no sentía miedo de contactar a la gente y hablarle acerca de su negocio y además, era muy buena para hacer presentaciones a grupos de personas.

Sin embargo, el reto número uno para Jill era de ser consistente. Ella le dedicaba tiempo al negocio por unos días y luego se distraía con otras actividades de la vida. Jill tenía grandes sueños para ella y para sus hijas, pero por alguna razón sus sueños no eran lo suficientemente poderosos para que sea siempre consistente.

Dos años después, Jill logró un nivel muy significativo en su negocio. Durante una entrevista que le hicieron en el escenario acerca de sus logros le hicieron una pregunta muy importante, «¿Cuál fue el catalizador que creó el impulso en tu negocio?» Aquí está su respuesta:

Mis up-line líderes son Mary and John. Yo no solamente los respeto y los admiro por lo que ellos han logrado en su negocio, sino que los respeto por la clase de personas que son. Ellos son personas maravillosas y bondadosas con la más alta integridad y carácter. Todo cambió en mi negocio cuando Mary me llamó y me ofreció ser mi compañera a quien le tenía que rendir cuentas. Fue una idea simple, pero también muy poderosa.

Cada domingo yo llamaba al correo de voz de Mary y le decía cuál era mi meta y mis actividades de la semana. Además, le daba un desglose exacto de cómo iba a lograr esa meta. El siguiente domingo yo llamaba de nuevo a su correo de voz y le daba el reporte de si había o no logrado mi meta.

Yo le tengo mucho respeto y admiración a Mary, y ese respeto hacía que me obligara a mí misma a cumplir. No había manera de que yo faltara a mi palabra. Yo quería ganarme su respeto y sabía que la única manera de lograrlo era cumpliendo mi palabra y haciendo lo que decía que iba a hacer. El temor de perder el respeto de Mary me dio tanto poder que yo hacía todo lo que tenía que hacer para cumplir con la meta de la semana.

El mayor desafío con el que luché al inicio del programa de rendir cuentas fue que yo seguía pensado que Mary estaba muy ocupada. Ella tenía tantas personas en su red, ¿Cómo era posible que ella pudiera tener tiempo para mí? Yo comencé el programa después de que ella me hizo pensar con claridad al hacerme dos importantes preguntas:

Jill, ¿si 10 personas de tu down-line te pidieran que fueras la compañera a quien le van a rendir cuentas y reportar sus metas y actividades cada domingo, les dirías que estas muy ocupada?... ¡Por supuesto que no!... Si yo tuviera diez personas dándome su reporte yo estaría muy emocionada… ¿Por qué? Porque estoy buscando personas serias con quienes trabajar y esto me mostraría quienes son… ¿Cierto? Sucede lo mismo conmigo Jill. Yo estoy tratando de ver quiénes son mis "jugadores serios".

Si Mary no me hubiera llamado ese día, yo todavía estuviera luchando con mi negocio. Gracias a Dios, hoy, mi negocio está explotando porque yo le ofrecí el mismo programa de rendir cuentas a los miembros de mi línea de auspicio y yo tengo mucha gente que se reporta conmigo cada domingo. ¡Y me encanta!

Capítulo 11

El poder de una causa

(Fórmula #6)

Un hombre sin una causa es nada. Él no tiene nada para ver hacia delante, no tiene razón por la cual trabajar; como hombre, él está perdido, deambulando en la parte más oscura de su corazón para encontrar propósitos mejores y más profundos para su vida.

- Hazel B. West

La película, *Schindler's List* (La lista de Schindler) se trata de un hombre llamado Oskar Schindler, hombre de negocios alemán y estraperlista de guerra. A Oskar le encanta la ropa fina, el vino, la vida social y el aprovechar de cualquier oportunidad para crear riqueza. Ganar dinero siempre era una prioridad en su mente. En los tiempos de la Segunda Guerra Mundial, Oskar era dueño de una fábrica donde fabricaban ollas y sartenes. Cuando estalló la guerra, los Nazis le dijeron que él tenía que hacer municiones, de lo contrario le cerrarían su fábrica. Él aceptó de mala gana y luego contrató a cientos de judíos para trabajar en su fábrica por la simple razón que ellos eran los más baratos de contratar.

A medida que la guerra avanzaba, los oficiales Nazis ordenaron que los judíos fueran ejecutados en todos lados. Ellos fueron llevados por miles a las cámaras de gas. Los cadáveres eran tirados a fosas comunes o quemados. Oskar se dio cuenta que los únicos judíos que estaban a salvo eran los que trabajaban con él. La fábrica se convirtió en un refugio seguro para los judíos porque ellos estaban haciendo municiones para los Nazis. Los judíos que trabajaban para él también se dieron cuenta que, *Si quieres vivir, tienes que trabajar para Oskar.* Tratando de salvar más vidas, muchos de los empleados de

Oskar recomendaban nuevos empleados potenciales para que Oskar los contratara; todos miembros de sus familias.

Oskar comenzó a darse cuenta que los judíos de su fábrica estaban a salvos, gracias a él. Su consciencia le estaba gritando, *¡Deberías de hacer algo más Oskar! Debes de salvar todas las vidas que te sea posible.* Oskar tomó dinero de su negocio y comenzó a sobornar a los oficiales Nazis. Él les pagaba dinero a cambio de más judíos para que trabajaran en su fábrica. Cuando se dio cuenta que los sobornos estaban funcionando, hizo más sobornos. Sentía como si su corazón pesaba mil libras, listo para explotar porque era una carrera contra la muerte.

La muerte estaba a su alrededor. Él seguía sacando más y más dinero de su negocio para comprar más judíos. Llegó el punto en que Oskar se dio cuenta que todo el dinero con que había sido bendecido tenía solamente un propósito, salvar vidas. Oskar literalmente se fue a la bancarrota por regalar cerca de cuatro millones en sobornos a los Nazis para comprar y salvar las vidas de más de 1100 judíos.

Cuando la guerra llegó a su final, Oskar tuvo que huir porque él estaba registrado como miembro del Partido Nazi. Al momento de salir de su fábrica, fue recibido por su contador y otro hombre (ambos judíos) que le presentaron uno papeles especiales. «Hemos escrito una carta tratando de explicar lo que usted hizo por nosotros en caso de que usted fuera capturado. Todos los trabajadores lo han firmado.» Las 1100 personas cuyas vidas Oskar había salvado firmaron y confirmaron la validez del contenido de la carta. Esta es la «Schindler's List» (Lista de Schindler).

El contador de Oskar dio un paso hacia adelante y le dio a Oskar un regalo. Era un anillo de oro macizo. El oro fue obtenido de rellenos de oro de los dientes de algunos de los hombres. Querían darle algo a Oskar como gratitud por haberles salvado la vida. En el anillo estaban grabadas las palabras del Talmud, *Quien salva una vida, salva al mundo entero.*

El diálogo a continuación revela el nuevo corazón de Oskar Schindler. Este hombre que una vez estaba solamente interesado y motivado por el dinero, de alguna manera, en medio de la muerte y crueldad de la guerra, descubrió muy en su interior su verdadera pasión... su causa; usó su dinero y sus habilidades únicas de negocios para salvar las vidas de cientos de personas. Mientras Oskar miraba el anillo de oro en su mano, él susurró a su contador...

«Yo podría haber obtenido más. Yo podría haber conseguido más...»

«Oskar, hay 1100 personas que están vivas gracias a ti, míralas...»

«Si hubiera ganado más dinero, yo desperdicié tanto dinero. No tienes idea. Si solamente hubiera...»

«Habrán generaciones gracias a lo que hiciste...»

«¡Yo no hice lo suficiente!... »

«Hiciste muchísimo...»

«Este carro, ¿por qué conservé este carro? 10 personas ahí. ¡10 personas! ¡10 personas más! Este pin, 2 personas. Este oro, 2 personas más. Me hubieran dado 2 más, o por lo menos 1. Me la hubieran dado, 1 más. 1 persona más, Stern... ¡Por esto!» Oscar se arrodilla, comenza a llorar y grita... *¡Pude haber salvado una persona más y no lo hice!*»

Habrán incontables personas que verán esta película y serán completamente capturadas y con el corazón roto por el dolor y la tristeza de un mundo con tanta fealdad, pero al mismo tiempo, muchos otros serán empoderados por la esperanza e inspiración demostrada por Oskar Schindler. Mucha gente, muy en el fondo de sus corazones van a sentir que son como Oskar. Ellos tienen un deseo ardiente de hacer la diferencia en el mundo y también van a darse cuenta que su verdadera pasión es una *causa*.

Si eres inspirado por una causa y realmente sientes que es tu llamado, tu verdadera pasión, entonces pon una foto *del dolor* que quieres ayudar aliviar. Es fácil decir, *Yo quiero hacer la diferencia en el mundo* y no hacer nada. Si nosotros no podemos ver y sentir el dolor frente a nuestros ojos, vamos a perder la perspectiva y el poder de hacer la diferencia.

Si quieres ayudar a los niños pobres y hambrientos del mundo, consigue una foto de un niño en ese ambiente. Un niño que no tiene padres, que no tiene comida, que está enfermo, que toma agua sucia con lodo, con las lágrimas cayendo en su rostro solitario. Pon esa foto a lado del teléfono en tu oficina. Si realmente tienes una pasión por hacer la diferencia en la vida de esos niños hambrientos como dices, cada vez que entres a tu oficina, la cara de ese niño te va a dar poder para hacer algo grande con tu vida; ser esa diferencia en el mundo.

Hay mucha gente en la sociedad que se apresura a juzgar a quienes tienen mucho dinero o que tienen ambición de ganar mucho dinero. Ellos hacen comentarios ignorantes como, *Ganar dinero es pecado o La gente rica se va a ir al infierno.* Desafortunadamente, la realidad de este mundo es que la gente que tiene poco dinero hace muy poco para ayudar a los demás. Para cambiar este mundo, son necesarias dos cosas: dinero y líderes de buen corazón. Yo no dije *gente* de buen corazón sino *líderes* de buen corazón. Hay un gran número de gente con el corazón noble pero sin valor. Líderes con el corazón noble van a hacer que las cosas sucedan, incluso si ellos mismos no tienen mucho dinero.

Si tienes las intenciones correctas y quieres hacer la diferencia en el mundo, adelante, gana todo el dinero que sea posible. Este mundo necesita mucha gente buena con mucho dinero... entre más dinero tienes, más cosas buenas puedes hacer.

Capítulo 12

El poder de un héroe

(Fórmula #7)

El héroe es aquel que enciende una gran luz en el mundo, que prepara antorchas encendidas en las calles oscuras de la vida, para que sean vistas por los hombres.

- Felix Adler

Tu héroe puede ser tu padre, tu madre, abuelo, maestro, una celebridad, un santo o fundador de una religión. Tu héroe incluso puede ser Superman o Batman, porque tu héroe…es *tu* héroe. ¿Por qué la gente admira a los héroes? No es simplemente por lo que han logrado. Ellos admiran a los héroes por los caminos que han viajado. Por las cosas que tuvieron que atravesar, las batallas y el dolor que voluntariamente aguantaron. E incluso cuando las probabilidades están en su contra, ellos tienen el valor de seguir peleando y nunca darse por vencidos, pase lo que pase. Nosotros admiramos a los héroes por su disposición de sacrificarse a sí mismos por una causa.

Hace unos años, por todas las paredes de mi oficina yo tenía fotos de bellas mansiones, autos Porches, Lamborghinis, Ferraris y lugares en el mundo para ir de vacaciones. Yo tenía un álbum de recortes lleno de imágenes de sueños, y aun así, por alguna razón, eventualmente todos perdieron su poder para inspirarme. Yo me sentía completamente devastado. ¿Cuántas imágenes más de sueños tengo que conseguir? No estaba funcionando y yo no entendía porqué. ¿Por qué no estaba recibiendo ningún poder de estos sueños? ¿¡Qué estába pasando conmigo!?

Inesperadamente, en uno de los libros que estaba leyendo, el autor casualmente mencionó la palabra *héroe*, y de repente cambió toda mi perspectiva. Yo comencé a preguntarme a mí mismo, *¿A quién consideraría mi héroe?* Durante los siguientes días, yo bajé todas las fotografías que estaban en las paredes de mi oficina y puse fotos de mis héroes.

En la parte superior izquierda de la pared de mi oficina está la fotografía de Harriet Tubman con una pistola en su mano. Ella nació como esclava pero logró escaparse y obtuvo así su libertad. Sin embargo, ella regresó 13 veces y arriesgó su vida y su libertad por liberar a los otros esclavos.

A lado de ella, hay una fotografía de Martin Luther King, Jr., con su mano levantada mientras daba su discurso, *I Have a Dream* (Yo tengo un sueño). Él arriesgó su vida todos los días por una causa. Martin Luther King, Jr., fue asesinado por compartir su sueño con el mundo.

A lado de él está Mahatma Gandhi en su celda agarrado de las rejas de la prisión. Él puso en peligro su vida para conseguir la independencia de su país, la India. Después de obtener ese éxito, arriesgó su vida nuevamente por tratar de mantener la paz en un país que estaba dividido. Eventualmente fue asesinado.

A lado de él hay una fotografía de Jesús, de la película, *The Passion of The Christ*. (La pasión del Cristo). En la fotografía Él no está vestido con un traje de tres piezas. Está colgado en una cruz, con sangre goteando de su rostro.

A lado de Él está una foto de William Wallace de la película *Brave Heart* (Corazón valiente), atado en espera de ser ejecutado.

Y finalmente, está Maximus Decimus Meridius de la película *Gladiator* (Gladiador), tirado en el piso, al lado de las tumbas de su esposa e hijo asesinados.

Arriba de las fotografías de mis héroes yo tengo un letrero que dice, *Cansados, desanimados, traicionados, perseguidos, con el corazón roto... ¡pero aun así, ellos no se dieron por vencidos!*

Cuando tus hijos están sufriendo, ¿sufres tú? ¿Sientes su dolor? Cuando tus padres están sufriendo, ¿sufres tú? ¿Sientes su dolor? Por supuesto que sí, tú sufres cuando ellos sufren. Tú sientes lo que ellos sienten a causa del amor que sientes hacia ellos. Tu corazón está conectado y su dolor y se convierte en dolor tuyo. Cuando tienes un héroe que amas y admiras mucho, tú puedes sentir su dolor.

Uno de mis héroes es Jesús. En la película, *The Passion of the Christ* (La pasión del Cristo), yo vi lo que le hicieron a Él. ¡Escupieron en su cara! ¡Lo golpearon! ¡Lo azotaron! ¡Él cayó de rodillas y lo siguieron azotando! Pero de alguna manera, muy dentro de sí, Él fue capaz de conseguir el poder para levantarse mientras lo azotaban. ¡Todo ese dolor... y Él lo aceptó! Cuando la vida me bota y siento un gran dolor, yo pienso en el dolor de mi héroe. Su dolor fue grande. Mi dolor es insignificante y no es nada comparado a Su dolor. Yo me siento avergonzado de quedarme en esa situación de depresión y pensando que la vida es muy difícil. Su dolor me da poder para levantarme... «¡Yo no me voy a quedar abajo! Me voy a levantar, como lo hizo mi héroe!»

Yo conozco a muchos padres que me han dicho que quieren ser héroes de sus familias, pero tienen miedo. Miedo del rechazo y el ridículo. Miedo de lo que la gente pueda pensar de ellos cuando ellos traten de levantar su negocio y compartir su pasión. En la película, *Braveheart*, hay una escena donde William Wallace está en la celda de la prisión, momentos antes de su ejecución. Él cae de rodillas y ora, *Padre, tengo tanto miedo. Por favor dame la fuerza para morir dignamente.*

Está bien tener miedo. Todos los héroes han sentido temor, pero ellos no dejan que el temor los detenga. De alguna manera, ellos sacan poder de su interior para vencer y conquistar el temor. Tú debes preguntarte a ti mismo, «¿Quiero ser un héroe para mi familia?». Si es así, entonces tienes que aceptar el miedo y sacar el poder desde adentro de tu corazón y vencerlo, justamente como lo hizo tu héroe.

El día que mi padre se convirtió en mi héroe

Yo recuerdo cuando tenía 14 años y estaba viviendo en Inglaterra. Mi padre era dueño de un número de casas y tiendas de ventas al por menor. En este día en particular, él me preguntó si a mí me gustaría ir con él a ver uno de sus proveedores para comprar mercadería para vender en su tienda. Le dije que sí.

En la tienda al por mayor, mi padre escogió lo que quería comprar y procedió al cajero. Una vez que la factura estaba lista, el cajero le dijo a mi padre el monto que tenía que pagar. Mi padre sacó su chequera y se la pasó al hombre para que la llenara. Yo estaba un poco confundido y no entendía por qué mi padre no hacía el cheque él mismo y se lo daba al hombre. El hombre hizo el cheque y se lo devolvió a mi padre. Mi padre lo recibió, lo firmó y se lo dio nuevamente al hombre. Cuando regresamos al auto yo le pregunté a mi padre porqué le había dado la chequera al cajero en lugar de hacer él mismo el cheque. Yo no podía creer lo que me contestó… *Porque yo no puedo leer ni escribir inglés.*

¡Dios mío! ¡Mi padre nos engañó a todos! Nosotros vivíamos en Inglaterra. Todos hablaban inglés. Él logró tener todo éxito y nadie sabía que él no escribía ni leía inglés. Ese fue el día que mi padre se convirtió en mi héroe. Él no puso excusas. Él hizo lo que tenía que hacer para proveer para su familia.

La tragedia de un héroe.

Cuando mi padre tenía 72 años, él estaba caminando con sus nietos a la escuela. En camino de regreso a casa él se desmayó y cayó al suelo. Tan pronto como recuperó la conciencia, se levantó y se fue para su casa. Cuando llegó a casa, era obvio que algo había sucedido. Él tenía una cortada en su frente y sangre media seca en su camisa manchada. Cuando yo le pregunté qué había pasado, él me dijo que no sabía.

Nos tomó dos años y muchos exámenes para que los doctores finalmente descubrieran qué estaba sucediendo. El neurólogo me dijo que me padre tenía una enfermedad cerebral llamada PSP, *Parálisis Supranuclear Progresiva.* En ese tiempo se creía que una en un millón de personas padecía de esa enfermedad. Hoy en día es una en cada 100,000. Todavía no existe cura y nadie ha vivido más de diez años después de haber sido diagnosticado con la enfermedad.

Mi padre era un hombre fuerte, pero después de dos años con esta enfermedad, yo vi que su salud se deterioraba de manera constante cada día, frente a mis propios ojos. La primera cosa significante que le pasó es que no podía mantener su equilibrio. Siempre que trataba de caminar por sí solo sin estar sostenido de algo, perdía el equilibrio y se caía al suelo. Algunas veces, incluso cuando estaba parado sin moverse, de repente se caía de espaladas. Este es uno de los síntomas comunes de la enfermedad. Él tenía fuerza en sus piernas, pero su sistema nervioso no podía mantener su equilibrio.

Para poder ayudar a mi padre a ejercitarse, mientras que él estaba sentado yo hacía que pusiera sus manos en mis hombros mientras yo estaba frente a él. Luego, yo jalaba sus brazos un poco hacia delante, de manera que la mayor parte de su peso estaba en sus rodillas. Así él solo podía levantarse de su silla usando la fuerza de sus piernas. Una vez que estaba parado, yo sostenía los lados de sus brazos para que mantuviera su equilibrio y pudiera comenzar a caminar hacia delante. Mientras yo caminaba de espaldas, él caminaba hacia delante sin perder su equilibrio. Hacíamos esto juntos 2 ó 3 veces al día.

Esta enfermedad es tal, que engaña a la persona que la padece haciéndole creer que él o ella está completamente bien para levantarse y moverse. Hubieron muchas veces que mi padre se levantaba a media noche e intentaba caminar al baño por sí solo. Mientas yo estaba durmiendo, de repente fui despertado por un fuerte golpe. Inmediatamente yo saltaba de la cama, corría hacia abajo y encontraba a mi padre tirado en el piso con la cara hacia abajo e impotente. Después de que lo ayudara a regresar a su cama, regresaba a mi cama tratando de escuchar cualquier ruido que indicara que él estaba intentando nuevamente de levantarse.

La primera vez que esto sucedió yo estaba completamente sin palabra que decirle. La segunda vez que lo hizo yo estaba muy enojado con él. La tercera vez, yo no dije mucho porque me di cuenta que él no lo estaba haciendo a propósito, era simplemente la enfermedad. Por dentro, mi corazón estaba siendo partido en pedazos. Yo quería llorar a gritos, pero por fuera yo tenía que mantener la compostura en frente de mi madre, mi esposa y mis hijos.

Para mí era prácticamente imposible dormir en paz sabiendo que mi padre trataría repetidas veces de levantarse de nuevo, así que compré una alarma pequeña, detectora de movimientos y la puse en el piso. Cualquier momento que sus pies tocaban el lado de su cama, sonaba la alarma. Yo bromeaba con él acerca de que finalmente yo había logrado la manera de capturarlo en su propio juego de tratar de salir de la habitación sin ser detectado. Su única respuesta fue una sonrisa.

Yo tuve que instalar barras de apoyo en todas el áreas de la casa que mi padre frecuentaba para que se pudiera sujetar a algo cuando iba a su habitación. Funcionó muy bien por un tiempo porque él no tenía que depender de nadie más para levantarse y regresar a su habitación.

Un día en particular, yo ayudé a mi padre en levantarse para usar el baño. Se sentó en el inodoro y yo le dije que me avisara cuando terminara así yo regresaba a ayudarlo a levantarse. Después de un par de minutos escuché un golpe fuerte. Había intentado levantarse él solo y se cayó. Y para empeorar las cosas, cuando cayó, él cayó en frente de la puerta cerrada. Cuando yo escuché el golpe yo corrí hacia el baño pero no podía entrar. Su cuerpo estaba contra la puerta. Yo no tenía idea si estaba sufriendo otro ataque al corazón o simplemente se había caído de nuevo. Eventualmente pude abrir la puerta, pero ese no fue un buen día. Fue definitivamente lo que llaman, un momento de formación de carácter.

Una vez más, yo tenía que ingeniarme otra solución para prevenir que se cayera del inodoro. Yo conseguí una silla de ruedas que se podía poner justo encima del inodoro. La silla tenía cinturón de seguridad que lo mantenía en posición vertical y a salvo. No solamente lo ayudó, sino que me dio a mí una enorme cantidad de paz sabiendo que él estaba a salvo. Además, amarré una campanilla pequeña a la silla para que mi padre la tocara para infórmame cuando ya había terminado. Ésta se podía escuchar de cualquier parte de la casa. Hasta el día de hoy, yo puedo escuchar ecos de esa campanilla tocando en mi cabeza. A medida que avanzaba la enfermedad, mi padre tenía desmayos ocasionales mientras estaba recostado en su silla reclinable. Yo podía darme cuenta que se había desmayado porque su cabeza estaba fría y bañada de sudor mientras yacía ahí jadeando. Además de levantar sus piernas y bajar su cabeza, no había nada que pudiéramos hacer excepto esperar que volviera en sí.

Un día en particular, nosotros íbamos de camino para donde el doctor. Yo estaba ayudando a mi padre para que caminara las escaleras del frente de la casa y justo cuando bajó el último escalón hacia el piso, se desmayó en mis brazos justo en la entrada del garaje al lado del auto. Esta no era la primera vez que se desmayaba, así que yo sabía exactamente que hacer. Sin embargo, era la primera vez que sucedía en la entrada del garaje. Por suerte, era un día cálido de verano. Él estuvo en el suelo por casi veinte minutos antes de que yo pudiera levantarlo y meterlo nuevamente a la casa. Esa fue la última vez que él pudo bajar las escaleras para salir de casa. Ese día tuvimos que mandar instalar un ascensor para bajarlo a la calle en silla de ruedas. Esa silla de ruedas llegó a ser su única forma de movilidad. Él se estaba cansando más y más después de dar solamente un par de pasos.

La siguiente cosa que me di cuenta fue que mi padre ya no podía mover sus ojos correctamente. Para poder enfocarse en algo, él tenía que mover su cuello y su cabeza para poder enfocar sus ojos en el objetivo. Luego los músculos de su cuello comenzaron a ponerse más y más tensos. La única manera que se podía enfocar en algo a su derecha o izquierda, era volver su cuerpo por completo hacia esa dirección. Eventualmente ya ni se molestaba en hacer eso. Era demasiado difícil para él, así que simplemente confiaba en su visión periférica.

Lo siguiente que empezó a deteriorarse fue el habla. Comenzó a balbucear sus palabras. Se estaba volviendo más y más difícil entender lo decía. Llegó a ser tan grave que yo tuve que crear un tablero de imágenes para que él señalara, de esa manera él comunicaba lo que quería. Eso no duró mucho tampoco, porque eventualmente comenzó a perder la coordinación de sus manos y ya no pudo señalar correctamente. Luego él perdió su habilidad de comer solo. La cosa que él podía hacer bien era apuntar su dedo grande hacia arriba para indicar «*Sí*» y el dedo hacia abajo para indicar «*No*». Esos dos llegaron a ser sus movimientos característicos.

A esas alturas, trabajadores de cuidado personal venían a ayudarnos a cuidar a mi padre 2 ó 3 horas al día. Ellos ayudaban a mi padre a comer y a bañarse, pero cuando ellos se iban, todo dependía de mí. Mi madre hacía lo que podía por mi padre, pero ella también estaba en sus 70s y no podía hacer nada del trabajo físico. Mi esposa y mis dos hijos adolescentes también fueron de gran ayuda cuando les era posible. Gracias a Dios, yo era financieramente libre para poder estar ahí para mi padre 24 horas al día, 7 días a la semana.

Cuando los trabajadores personales no estaban presentes y mi madre estaba muy cansada, yo le tenía que dar de comer a mi padre. Yo tenía que limpiarle sus dientes, lo tenía que rasurar, tenía que limpiarle sus oídos, limpiar su nariz, lo tenía que llevar al baño, lo tenía que bañar, yo lo tenía que vestir, yo lo tenía que ejercitar...todos los días. De repente, la realidad me golpeó como una tonelada de ladrillos. La vida entera de mi padre estaba en *mis* manos. Él no podía hacer nada pos sí solo; él dependía de mí 100% del tiempo para todo.

Mi padre, un hombre independiente, fuerte y orgulloso, estaba atrapado dentro de su propio cuerpo. Su mente seguía funcionando bien, pero su cuerpo llegó a ser una prisión. Yo recuerdo cierto día cuando algunos parientes de la familia vinieron a visitarnos. Yo recuerdo que mientras ellos le daban la mano, mi padre hizo un gran esfuerzo por decir algo, pero no pudo decir ni una palabra. Cuando se sentaron, yo vi lágrimas bajar por el rostro de mi padre. Él estaba triste porque ni siquiera podía saludar apropiadamente a sus visitantes. Eso fue totalmente desgarrador.

Lo siguiente en desaparecer fue su habilidad de tragar. Las personas que padecen de PSP usualmente mueren como resultado de la dificultad para tragar. La incapacidad de limpiar su garganta da como resultado que los líquidos sean inhalados por lo pulmones. Mi padre comenzó a comer menos y menos porque él estaba cansado de tratar de tragar sin ahogarse con la comida. Yo podía ver frustración en su cara. El día que vi a mi padre toser tan fuerte después de tratar de tomar agua me rompió el corazón. Yo sabía que las cosas estaban progresando rápidamente hacia un desafortunado fin.

Muchas veces le oraba a Dios con ira, *¡¿Por qué le estás haciendo esto a mi padre?! ¿Cuántos años más?... ¿cinco años?... seis años? ¡Esto no es justo! ¿Por qué permites que atraviese por tanto dolor?*

Yo no podía comprender o aceptar porqué le estaba pasando esto a mi padre. Yo escuchaba de gente mala que sufrían un ataque cardiaco y morían, pero ¿dónde está el dolor en eso? ¿Dónde está el dolor?... y luego uno ve gente buena como mi padre que había sufrido por años. Eso no es justo. ¿Por qué está pasando por esto?

Yo oré al Señor, *¡Yo quiero que mi padre muera!... ¡Llévatelo! ¡Esto no es justo! Ya han pasado siete años!... ¿Por qué estás haciendo esto?*

Finalmente yo conseguí mi respuesta. *Muchos personajes grandiosos de la historia han sufrido, no porque hayan hecho algo incorrecto, ellos sufren por el beneficio de otros. Tu padre está sufriendo por ti. Yo te estoy dando la oportunidad para que te conviertas en mejor persona por medio del sufrimiento de tu padre. Sírvelo. Cuando te conviertas en ese hombre, me lo voy a llevar.*

Mi padre tenía seis hijos. Cinco de ellos eran perfectos y uno era un idiota. Ese idiota era yo. Cuando estaba creciendo, yo discutía con él constantemente. La mayor parte del tiempo ni siquiera me caía bien. Y ahora, de repente, yo soy quien tiene que cuidar de él y convertirme en mejor hijo. Y aún no sé cómo convertirme en un mejor hijo. Según la respuesta que recibí en mis oraciones, la longitud del sufrimiento de mi padre estaba en mis manos.

En mis oraciones yo le pedí al Señor, *Yo tengo dos peticiones para cuando mi padre muera: yo quiero ser el primero que lo descubra; no mi madre, o mi esposa, o mis hijos. Yo quiero ser el primero en encontrarlo. Y la segunda, yo quiero que mi padre muera en paz.*

Yo sabía que su enfermedad era bien grave. Las personas que sufren de esta clase de enfermedad no mueren en paz, ellos se asfixian hasta morir. Estas fueron mis dos peticiones para Dios.

Gracias a mi padre, ahora me daba cuenta que me había convertido en una mejor persona. Yo tenía mucho que crecer porque muy en el fondo sabía que yo no era un buen hijo. Con facilidad me frustraba, e incluso me enojaba con mi padre cuando trataba de darle de comer. Él mordía la cuchara y no la soltaba. Yo pensaba que lo estaba haciendo a propósito, pero era la enfermedad lo que estaba causando que él perdiera el control de su cuerpo. Supongo que el agobio de tener que cuidarlo todo el tiempo comenzaba a manifestarse. Muchas veces me sentí cansado y atrapado, teniendo que siempre estar ahí atendiéndole a él y no poder ser libre. No poder simplemente levantarme e ir a hacer lo que yo quería hacer. Incluso cuando íbamos a la casa de algún pariente con mi padre no podía relajarme porque tenía que estar ahí constantemente para llevarlo al baño dos o tres veces. Además, tenía que tener cuidado que él estuviera bien y no estuviera a punto de caerse del sofá. Yo me estaba frustrando y agotando tanto mentalmente porque no podía relajar mi mente, siempre había algo que tenía que hacer 24 horas al día.

Para mantener mi actitud bajo control y para empoderarme a mí mismo para pensar y comportarme de cierta manera para servir a mi padre, yo hice tarjetas de recordatorio. Yo leía estas tarjetas todas las mañanas antes de ver a mi padre. Éstas me ponían en un estado de ánimo adecuado recordándome cómo tenía que comportarme para poder ser el hijo que él necesitaba. Esto es lo que tenía escrito en las tarjeras:

Papaji (Padre)

Nunca le levanté la voz…Yo nunca lo avergoncé…Yo nunca lo insulté cuando él estaba confundido o actuaba lentamente…Yo nunca tomé ventaja de su vulnerabilidad…Yo lo respetaba como padre…Yo siempre estaba ahí para él cuando me necesitaba y quería….El único factor era su calidad de vida…Muy pronto él ya no estará…Hoy, quizás será la última vez que él pueda sonreír, decir una palabra, mover sus piernas, tragar, capaz de poner su dedo pulgar hacia arriba , comunicarse o abrazar. Pronto habrá una cama vacía… Solamente quedarán memorias de su sonrisa, sus carcajadas, vulnerabilidad, impotencia y… memorias de cómo yo lo traté.

Uno par de años después que mi padre fuera diagnosticado con PSP, yo me di cuenta que su habla estaba un poco confusa. Yo aún podía entender lo que él estaba diciendo, pero no era tan claro como solía ser. Yo decidí hacer más investigaciones acerca de PSP y pérdida del habla. Todos los expertos decían lo mismo; mi padre iba a perder el habla conforme la enfermedad iba avanzando. Sabiendo esto, yo decidí hacer videos de mi padre. Yo le hacía toda clase de preguntas acerca de su vida y grababa sus respuestas. Preguntas tales como: *¿Por qué saliste de India y te fuiste a Inglaterra?... ¿Qué clase de trabajos y negocios has tenido en tu vida?... ¿Qué consejos le darías a tus nietos acerca de lo que es importante en la vida?*

Conforme la enfermedad avanzaba, él hablaba menos y menos. Llegó el punto donde él apenas podía decir una palabra. Si le hacíamos una pregunta, él trataba conscientemente de decirnos la respuesta usando su cerebro y su boca, pero él simplemente no podía conectar los dos órganos y sacar las palabras de su boca. Él había perdido la habilidad de pedir lo que quería en el momento que lo quería. Nosotros extrañábamos mucho escuchar su voz. El dicho, *«No sabes lo que tienes hasta que lo pierdes»,* es muy cierto.

Sin embargo, ocasionalmente a la hora de ir a la cama, cuando entraba al cuarto de mi padre e inesperada y sorpresivamente yo decía, *Buenas noches,* de alguna manera su cerebro hacía que él tuviera una respuesta automática y él contestaba, *Buenas noches.* La primera vez que sucedió, toda la familia lo escuchó y celebramos como locos. Comenzamos a saltar en su cama y lo abrazamos. Nosotros estábamos llenos de gozo de haber escuchado su voz nuevamente. Incluso respondió con una sonrisa. Desde ese día yo mantuve la grabadora de voz digital muy cerca. Fui lo suficientemente afortunado de grabar un par de veces más su respuesta antes que desapareciera para siempre. Estas pequeñas y preciosas bendiciones aparecían de repente y nos daban poder en medio del dolor y sufrimiento de esta ardua y larga jornada que mi padre estaba atravesando.

Poniéndome en el lugar de mi padre, voy a asumir que una de las cosas más difíciles de su enfermedad, fue tener que aceptar la dura e inevitable realidad que él ya no podía bañarse o limpiarse después de ir al baño. La parte más privada e importante de su vida estaba a punto de convertirse en algo muy público.

Yo recuerdo la primera vez tuve que limpiar a mi padre después de que uso el baño. Yo estaba nervioso y sentía asco. Yo me sentía tan incómodo con lo que estaba a punto de hacer. La única manera que pude fortalecerme y llenarme de valor para hacerlo fue ignorar como me sentía y enfocarme solamente en como yo pensaba que me mi padre se sentía. Yo necesitaba experimentar, aunque fuera solamente por un momento, el *mundo destruido* de mi padre por medio de sus ojos. Yo necesitaba sentir lo que mi padre estaba sintiendo muy en el fondo de su corazón. Su corazón que seguramente estaba gravemente herido por la vergüenza y la desesperación de padecer de esa enfermedad. ¿Cómo se supone que un hombre orgulloso con un gran respeto por sí mismo puede levantar su cabeza con dignidad después de haber sido puesto en tal posición tan humillante y degradante? Solamente un ambiente de amor puro le permitió a mi padre tener la confianza para levantar su cabeza con dignidad. Él estaba completamente protegido y rodeado las 24 horas al día por el amor de su familia.

Conforme la enfermedad iba avanzando, mi padre tuvo más y más dificultad para tragar. Él estaba bajando de peso súper rápido. Simplemente se estaba cansando demasiado de comer. Incluso el agua que bebía tenía que ser espesada antes que él tratada de tomarla. Los doctores recomendaron que se insertara un tubo alimenticio en el estómago de mi padre, de otra manera él no iba a sobrevivir por mucho tiempo con la cantidad de comida que él estaba tratando de consumir.

Yo recuerdo el día que tuvo la cirugía en el hospital. Después del procedimiento quirúrgico nos informaron que él tenía que quedarse en el hospital por unos días. La primera noche, después de que todos los demás miembros de la familia se habían ido a casa, yo me senté al lado de su cama. Ya se hacía tarde, probablemente cerca de las 10pm. La enfermera vino y me dijo que era mejor que me fuera a casa porque no había nada que yo pudiera hacer mientras mi padre estaba descansando, y además, solamente había una pequeña silla para que yo me sentara. Yo le dije que estaba bien y que yo prefería quedarme con mi padre. Definitivamente yo no iba a dejar a mi padre solo en el hospital.

Con el paso de los años, yo había visitado las salas de urgencia innumerables veces. Yo me había convertido en cliente regular debido a las necesidades de mis ancianos padres. La mayoría de las enfermeras que conocí eran personas cuidadosas y maravillosas, pero simplemente no habían suficientes. Yo fui testigo de muchas personas ancianas que pasaron horas en los pasillos del hospital sin ser atendidas. Yo me veía como su propio hijo y los familiares los habían abandonado. Yo solía preguntarme disgustado, *¿Dónde están sus hijos? ¿Por no qué están aquí? ¿Cómo es posible que alguien pueda dejar sus padres ancianos en las manos de otras personas? ¡Deberían sentir vergüenza de sí mismos!*

Estar sentando en una silla pequeña a lado de la cama de mi padre se estaba volviendo incómodo. A estas alturas ya era casi media noche y la mayoría de las luces de la sala estaban apagadas. Estaba muy silencio, así que me levanté, moví mi silla para un lado sin que la enfermera supiera, puse una sleeping bag en el piso del hospital, a lado de la cama de mi padre y usé mi abrigo de almohada.

A media noche, yo escuché a mi padre gimiendo. Algo estaba pasando. Cuando me levanté me di cuenta que un tubo estaba colgando a un lado de su sábana. Yo moví la sábana para ver qué era. Para mi horror, era el tubo de alimentación. Él se lo había quitado. Yo salí corriendo a llamar a la enfermera y ella vino corriendo a atender a mi padre; ella me dijo que no entrara en pánico, que me tranquilizara. *Esto es bastante común,* dijo ella. Ellos tuvieron que repetir la cirugía el siguiente día. Por suerte, todo salió bien a segunda vez y poco días después mi padre pudo ir a casa.

Ahora que mi padre tenía un tubo de alimentación, yo tenía un montón de cosas añadidas a mi rutina diaria. Yo tenía un itinerario escrito y detallado de todo lo que tenía que hacer durante el día. Yo tuve que añadir: triturar las píldoras que mi padre tenía que tomar cuatro veces al día, conectar su tubo alimenticio, inyectar agua en su estómago varias veces al día, darle vuelta cada 3 horas para que no le salieran úlceras, darle masaje en sus piernas para que sus músculos no se atrofiaran, y transportarlo del cuarto hacia la sala.

Mientras las cosas se pusieron más y más exigentes con mi padre, yo tenía que empoderarme continuamente con este pensamiento, *¿Cómo puedo decir que amo a Dios y no sirvo a mi impotente padre? La única prueba de que realmente amo a mi Padre Celestial, es servir y amar a mi padre terrenal completamente.*

Hubo una noche que yo bajé a las 4:00am para darle vuelta a mi padre y acomodarlo del otro lado. Una vez que hice eso, yo me di cuenta que él estaba tratando de mostrarme que su boca estaba un poco seca, así que puse una esponja en un palo, la empapé de agua y la puse en su boca. Él no tenía su prótesis dental así que cuando él chupó la esponja perecía que como que estaba chupando un chupete. Yo le sonreí, lo vi directamente a los ojos y le dije: *«Te ves muy lindo»*. Yo no podía creer haberle dicho eso a él. Este era el mismo padre que me golpeaba el trasero cuando yo era un niño. Y ahora yo le estaba llamando lindo. En ese mismo momento yo me di cuenta que me había enamorado de mi padre. Durante todos esos años que lo cuidé, mi padre no me dijo a mí ni una sola mala palabra. ¡Cómo no iba a enamorarme de él!

A las 7:00am de la mañana siguiente yo fui al cuarto de mi padre. Mientras que estaba colocando su tubo alimenticio yo le eché un ojo a su cara. Por alguna razón yo no podía dejar de ver fijamente a mi padre. Yo noté un bomba de humedad blanca en su almohada al lado de su boca abierta. Mi corazón se hundió en el cuarto lleno de silencio ensordecedor. En completo shock y consternación llegué a darme cuenta de lo inevitable...mi padre había muerto.

Aunque fue doloroso perder a mi padre, yo sentía alivio por él, porque todo el dolor y el sufrimiento finalmente había terminado. Él ya no estaba atrapado en su cuerpo. Por fin, quedó completamente permanentemente libre. Qué maravilloso debió haberse sentido él cuando derramó ese cuerpo viejo y desgastado de 81 años.

Hasta la tarde de ese día yo me di cuenta que Dios había contestado mis oraciones: yo fui el primero en encontrar a mi padre cuando él murió, y segundo, mi padre murió en paz mientras dormía...¡Gracias Dios!

Cuando nuestros hijos sufren, nosotros sufrimos. Cuando nuestros padres sufren, nosotros sufrimos. Nosotros podemos sentir su dolor porque nuestros corazones están conectados. El dolor y sufrimiento que mi padre aguantó durante esos 9 largos años tocaron y cambiaron mi corazón más que ninguna otra cosa en este mundo. El último año de vida de mi padre fue el período más grandioso de crecimiento en mi vida. Mientras servía, sacrificaba y amaba a mi padre, yo realmente creo que nuestros corazones llegaron a ser uno solo. Fue hasta que él murió que me di cuenta el héroe que él fue para mí. Yo anticipo ese día especial en el futuro distante cuando tenga la oportunidad de abrazar y a mi padre una vez más y decirle «lindo».

Si tienes un padre o abuelo de edad avanzada que está sufriendo, o en necesidad de ser cuidado como lo estaba mi padre, por favor entiende, a ti también se te ha dado la gran oportunidad de crecer y llegar a ser un mejor hijo o hija. Te animo a servirle y amarlo todo lo que puedas y hacer lo mejor que puedas. Cuando pongas tu amor en su corazón, Dios va aponer amor en el tuyo.

Capítulo 13

El poder de la declaración de un gladiador

(Fórmula #8)

Me gustaría que mi vida fuera una declaración de amor y compasión, y donde no es, ahí es donde inicia el trabajo.

- Ram Dass

En la película, *The Gladiator* (El Gladiador), hay una escena donde el emperador ordena al Gladiador que se quite la máscara de su cara. *¿Quién eres?*

El Gladiador se quita la máscara y comienza a hablar... *Mi nombre es Maximus Decimus Meridius, Comandante de los ejércitos del Norte, General de la Legión Felix, sirviente leal del real emperador Marcus Aurelius, marido de una mujer asesinada, padre de un hijo asesinado y yo voy a tener mi venganza en esta vida o la otra.*

El Gladiador sabía exactamente quien era él. Su pasión y propósito estaban ardiendo en su interior como un fuego que no podía ser apagado.

Bien, y si alguien te preguntara a TI, *¿Quién eres?* ¿Cuál sería tu respuesta? *Yo soy trabajador de construcción. Yo soy doctor. Yo soy abogado. Yo soy plomero. Yo soy electricista. Y soy una persona de negocios.*

¿Es esto lo que realmente eres? Muy en el fondo de tu corazón, **¿quién eres?**

Muchas personas escuchan pensamientos negativos en su mente que les dicen constantemente: *Eres un inutil. Eres un perdedor. Tú no tienes valentía. Has fracasado en todo lo que has intentado hacer en tu vida. Nadie te va a respetar. Tú no lo vas a lograr. Vamos, date por vencido, al igual que todas las demás cosas que has hecho en tu vida.*

Ellos escuchan estos pensamientos negativos en su mente cada vez que intentan hacer algo con su vida. En la Biblia dice que Dios *habló* que el mundo existiera. No dice que Él *pensó* el mundo en existencia. Nuestra voz es más fuerte que nuestros pensamientos. Los pensamientos negativos no pueden ser removidos de nuestra mente, pero pueden ser echados fuera por lo que hablamos. Nosotros tenemos que hablar y traer a existencia lo que queremos ser. Grita en voz alta tus declaraciones de Gladiador, con suficiente poder para sacar fuera todos y cada uno de tus pensamientos negativos.

¡Yo soy un padre cuidadoso y bondadoso!

¡Yo soy un marido amoroso y leal!

¡Yos son un hijo responsable y respetuoso!

¡Yo soy resistente! ¡Yo estoy enfocado! ¡Soy disciplinado! ¡Yo soy un campeón!

¡Yo soy un ganador! ¡Yo soy un ganador! ¡Yo soy un ganador!

¡¡¡ECHA FUERA ESOS PENSAMIENTOS NEGATIVOS!!!

Capítulo 14

El poder de tu mejor momento

(Fórmula #9)

Yo creo que el mejor momento de un hombre, con frecuencia viene cuando él está en su momento más débil. Cuando un hombre está caído, ofendido y en un lugar de gran trasparencia emocional, es ahí donde él tiene esa visión rara de una verdad ineludible...él no es más que un hombre. Mientras su bravuconería desaparece en un charco de lágrimas de reflexión, eso revela que él es simplemente carne, sangre y huesos y algo insignificante sin el amor y guía del Creador. Es ahí, donde yo creo que un hombre comienza a encontrar su verdadero camino.

- Jason Versey

En uno de sus famosos discursos, Winston Churchill dijo lo siguiente: *La furia completa y poder del enemigo pronto se volverá hacia nosotros. Hitler sabe que él tiene que acabar con nosotros en esta isla o perder la guerra. Si podemos enfrentarnos a él, toda Europa será libre, y la vida del mundo puede avanzar hacia las tierras más altas y amplias iluminadas por el sol; pero si fracasamos, entonces todo el mundo, incluyendo los Estados Unidos, todas las cosas que nos importan se hundirán en el abismo de una nueva era oscura hecha para lo sínico, y tal vez más prolongada, por las luces de la ciencia pervertida. Preparémonos entonces para nuestro deber y así resistir, y si el Imperio Británico y sus territorios duran por mil años, los hombres dirán, éste fue su mejor momento.*

Para parafrasearlo, en aquellos tiempos de la Segunda Guerra Mundial, Churchill le estaba diciendo a los británicos que Hitler se estaba acercando y que mucha gente iba a morir, quizás cientos de miles... *Incluso con todas las probabilidades en contra de nosotros y el mundo piensa que no tenemos ni una posibilidad, nosotros no nos vamos a rendir, no vamos a ceder nuestra libertad. Vamos a pelear en cualquier lugar y en todas partes, y dentro de cien años, gente de todo el mundo nos va a recordar y van a decir, aquél fue su mejor momento; cuando todo estaba en su contra, ellos no se rindieron, no cedieron su libertad... esa es la razón por la cual son victoriosos.*

Yo he hablado a miles de empresarios de negocios en convenciones alrededor del mundo y de hecho, yo sé que en cada convención siempre hay un puñado de personas que, aunque están asistiendo a la convención, ellos ya han decidido que esa será su última convención. Ellos solamente están en el salón porque compraron el boleto al inicio de mes. Ellos han decidido rendirse porque ya no pueden soportar el dolor: el dolor del temor, el dolor del rechazo, el dolor del sacrificio, el dolor del crecimiento personal, el dolor de ser su propio jefe, el dolor de que no hay garantía de éxito, el dolor de hacer el ridículo frente a sus amigos y familiares, el dolor de la gratificación a largo plazo, el dolor de luchar y el dolor de tratar de lograr sus sueños.

Amigo, si realmente quieres lograr tus sueños, por favor entiende, tú no puedes hacerlo sin atravesar por el dolor. En este contexto, el dolor no es una señal de que estás en el camino incorrecto, es una señal diciéndote que necesitas crecer, ser mejor en todos los sentidos, para poder lograr tus sueños.

Cuando el dolor del crecimiento se vuelve casi insoportable y todo dentro de ti te está diciendo que te rindas, has llegado. Bienvenido a tu mejor momento. Tu mejor momento parecerá el momento más bajo en tu vida. Lo único que va a determinar si vas o no a poder atravesar tu batalla va a ser tu actitud. Todos pueden tener actitud positiva cuando todo va bien en la vida, pero lo que separa a la gente común de aquellos que son grandes, es la manera que actúan cuando la vida los lleva a ponerse de rodillas.

La película, *Cinderella Man* (Hombre cenicienta), se trata de un boxeador llamado James Braddock y ocurre en los años 30s. Era el tiempo de la Gran Depresión, cuando 15 millones de personas estaban desempleadas. James pasaba el día buscando trabajo, usualmente en los muelles descargando barcos, y en las noches boxeaba cada vez que podía conseguir una pelea. Él no era buen peleador, de alguna manera él no tenía la fuerza, aunque él estaba completamente en la ruina. Él había perdido todos sus ahorros en la Caída de la Bolsa de 1929. Aunque las cosas parecían estar muy malas para James, este no era su mejor momento, las cosas iban a empeorar.

James vivía junto a su esposa May y sus tres hijos pequeños. Una tarde, cuando James se estaba alistando para ir a una pelea, May le dijo que había llegado el aviso final de la compañía eléctrica. Las facturas no habían sido pagadas y era una advertencia que si no pagaban pronto, el servicio de gas y electricidad iba a ser interrumpido. James le dijo a su esposa que todo iba a estar bien, porque él tenía otra pelea pronto y le iban a pagar $50 si ganaba o perdía. Luego James fue a la puerta del frente a recoger la leche, que a estas alturas debía haber sido entregada por el lechero. Cuando llegó ahí, todo lo que encontró fueron dos botellas vacías y un aviso que decía «PAGO VENCIDO». Cuando regresó le mostró el aviso a May y lo puso en el montón de facturas por pagar. May tomó la botella que tenía un poquito de leche y le agregó agua. *¿Quién necesita una vaca?* dijo ella, mientras llenaba la taza de su hija.

Cuando James se sentó en la mesa para cenar, su hija Rosy pidió a su madre un poco más de jamón. La madre le dijo que ella no podía darle más porque estaba guardando el resto para sus hermanos que estaban durmiendo. James comenzó a decirle a su esposa e hija un sueño que había tendido.

Sabes qué, May, anoche soñé que yo estaba cenando en el Ritz con Mickey Rooney y George Raft. Yo soñé que comía filete. Un filete grueso y jugoso... ¡como esta Rosy! Luego tenía una montaña de puré de papa y me serví helado tres veces. Estoy lleno. Estoy completamente lleno y no puedo comer ni una cosa más. ¿Quieres ayudarme? James tomó su cena, una rodaja pequeña de jamón y la puso en el plato de su hija. Luego salió de su casa y se dirigió a su pelea de boxeo con el estómago vacío.

El siguiente día James fue a los muelles para ver si podía conseguir algo de trabajo cargando los buques. Él era uno entre docenas de hombres empujándose el uno al otro hacia enfrente de la multitud con la esperanza de ser escogido para trabajar y ganar un poco de dinero. Pero no fue escogido. Cuando él regresó a casa ese día, su hija vino corriendo hacia él y le dijo: «*¡Jay robó!*», Jay era su hermano. Él era el hermano mayor, probablemente 10 años de edad. Él se había robado algo de salami del carnicero. James llevó a su hijo a la carnicería y lo obligó a que devolviera lo que había robado. Cuando estaban de regreso a casa Jay comenzó a decirle a su padre porqué había robado.

Marty Johnson tuvo que irse a Delaware a vivir con su tío porque sus padres no tenían suficiente dinero para darles de comer...

Sí, las cosas no están fáciles en estos momentos Jay, estás en lo cierto. Hay mucha gente en peor situación que nosotros, pero que las cosas no estén fáciles no te justifica que hayas tomado lo que no es tuyo, ¿o sí? Eso se llama robar, ¿cierto? Nosotros no robamos. No importa lo que pase, nosotros no robamos, nunca. ¿Me entiendes?...

Sí...

¿Me estás dando tu palabra?...

Sí, te lo prometo...

Y yo te prometo que nunca te voy a mandar a vivir a otro lado!.

Jay saltó a los brazos de su padre llorando. Era el único lugar donde él sabía que estaba completamente a salvo. Este no era el mejor momento de James, las cosas se iban a poner mucho más difíciles.

Esa noche tenía que ir a una pelea. Mientras que se preparaba en el vestuario, su representante se dio cuenta que tenía una mano lastimada, le dolía cada vez que ponía presión en ella. *¿Por qué no me dijiste?* reclamó su representante. James le susurró con desesperación. *Le debo dinero a todo el mundo, no he podido conseguir ningún turno, no tengo nada de dinero.* Su representante simpatizó con su situación y comenzó a ponerle cinta doble para proteger su mano y su muñeca. La pelea de esa noche resultó ser un desastre, James no fue lo suficientemente agresivo debido a su mano quebrada y la pelea fue clasificada como que no hubo competencia. No solamente no le pagaron sino que su licencia para pelear en el cuadrilátero fue revocada y él fue dado de baja.

Cuando él llegó a casa esa noche, le dijo a May lo que había sucedido y que su mano estaba quebrada en tres partes. *Ellos me dijeron que estoy terminado May, ellos me dijeron que ya no puedo boxear...*

Jimmy, si no puedes trabajar no vamos a poder pagar la electricidad y la calefacción, ya no nos dan crédito en las tiendas, así que creo que vamos a tener que empacar a los niños. Ellos se pueden quedar con mi hermana por un tiempo y yo voy a recibir más trabajos de costura. Tú no puedes trabajar porque tu mano está quebrada.

James le explicó a May que si coloreaba el yeso blanco de su mano enyesada nadie en los muelles se daría cuenta que su mano estaba quebrada y podía seguir trabajando cuando le dieran turnos. Él agarró la pasta para lustrar zapatos y le pidió a May que coloreara el yeso de negro. Mientras May agarraba su mano, James le susurró, «*Lo siento*». May pudo ver que los ojos de su esposo se llenaron de lágrimas, su corazón se estaba rompiendo bajo toda la presión. May amaba a su esposo entrañablemente, ella no quería ver ni una sola lágrima caer de los ojos de él, así que se levantó y cariñosamente lo abrazó para aliviar el dolor de su corazón. Sin embargo, este todavía no era el mejor momento de James, los cosas se iban a poner aun peor.

El siguiente día, James tuvo suerte de conseguir un turno en el muelle. Él ganó $6.74 después de trabajar todo el día, sólo para regresar y encontrar su casa oscura. La electricidad y el gas habían sido apagados. Para que la reconectaran, él tenía que pagar $44.12. No había manera que él pudiera hacerlo.

May encendió velas y las puso en todo el apartamento y al sentarse en la mesa, ella ofreció sus manos a su esposo para que oraran juntos. James puso sus manos sobre las de ella, sonrió e inclinó su cabeza. La habitación estaba tan fría que su cálido aliento era completamente visible mientras ellos exhalaron por la frustración.

Cuando May estaba a punto de hablar, ella fue interrumpida por su hijo menor tosiendo mientras dormía. Cuando ella le dijo a James que la tos había comenzado ese día temprano, su sonrisa se convirtió en desesperación. James sabía que si la tos de su hijo empeoraba estarían en grandes problemas. ¿Dónde conseguiría dinero para comprar medicina? May dejó escapar un suspiro y comenzó a orar. Mientras ella seguía orando, James levantó su cabeza y dejó caer sus manos de desesperación. *¡Yo ya no puedo orar más!* Cuando May vio a su esposo, él miró hacia abajo y movió su cabeza en silencio, como diciendo, *Dios no está escuchando.*

El siguiente día, James regresó a su casa después de trabajar un turno. Entró a una casa silenciosa. May estaba parada en la cocina, sola y ansiosa. Ella comenzó a explicar…

La fiebre de Owen comenzó a empeorar y Rosy comenzó a estornudar. James corrió hacia el cuarto de los niños, solamente para descubrir que las camas estaban vacías.

¿Dónde está May?

Jim, ni siquiera podemos mantenerlos calientes.

¿Dónde están los niños?

Los niños están durmiendo en el sofá en la casa de mi padre, en Brooklyn; y Rosy se quedará con mi hermana. ¡Jimmy, no podemos quedarnos con ellos!

James comenzó a sacudir su cabeza de ira y derrota, *¡Tú no tienes que tomar decisiones de nuestros hijos sin consultarme!*

¿Pero qué vamos a hacer si se enferman? Le debemos al Dr. MacDonald.

¡Si los mandas a vivir a otro lado, entonces todo lo que hemos hecho no ha servido de nada!

Es solamente mientras nos recuperamos económicamente.

¿Para qué es todo esto? Si no podemos estar juntos eso quiere decir que hemos perdido, nos hemos rendido.

¡Yo no me estoy rindiendo! Solamente estoy tratando de proteger a nuestros hijos.

May, ¡yo le prometí a Jay! Afuera de la carnicería yo lo miré a los ojos y le prometí con todo mi corazón que nunca lo mandaría lejos! ¡Tú no puedes hacer esto!...

Tú no estabas aquí...

Yo no puedo romper mi promesa...

¡Jim, tú no viste, no estabas aquí. ¡Lo siento! ¡Lo siento Jimmy!»

James comenzó a vaciar sus bolsillos sobre la mesa. Todo lo que tenía era un poco de efectivo, luego se dirigió hacia la puerta de enfrente.

¿Qué vas a hacer Jim?

James vio a May con remordimiento por haber roto la promesa que le había hecho a su hijo. Él encogió los hombros y salió de la casa. Aunque la situación era demasiado dolorosa para James, él no había llegado a su mejor momento.

Él se dirigió a la oficina de ayuda para emergencia y se inscribió en el bienestar social. Para James esta era señal de derrota, pero no tenía otra opción. Él tenía que traer a sus hijos de regreso. La dama que lo atendió lo conocía muy bien. *Nunca pensé que verte aquí, James.* Él salió completamente avergonzado y abochornado de la situación.

Aunque él recibió un poco de dinero del bienestar social, eso no era suficiente. Él se dirigió a Madison Square Garden donde los miembros de la comisión de boxeo se reunían. Mientras caminaba en las calles hacia el edificio, era como si se iba a despojar de la autoestima y la dignidad que le quedaba. Con cada paso que avanzaba era como una daga en el corazón. Él entró en el salón. Todos los hombres lo conocían como James Braddock, el boxeador fracasado, el *que un día fue*. Él se paró donde todos lo podían ver, el salón quedó en completo silencio. El mejor momento de James Braddock finalmente había llegado. Él había caído al punto más bajo de su vida. Él estaba completamente en bancarrota e impotente…

Lo que sucede es que, no puedo…no puedo pagar la factura de electricidad. Yo tuve que entregar a otros a mis hijos. Siguen cortando los turnos en los muelles y a mí simplemente no me escogen todos los días. James se quitó el sombrero mostrando completa humildad y comenzó a rogar. *Yo vendí todo lo que podía y al precio que alguien quería comprar. Yo me inscribí a asistencia social. Yo me inscribí en oficina de alivio temporal. Ellos me dieron $19. Yo necesito otros $18.38 para poder pagar la factura y que me reconecten la electricidad; y de esa manera traer mis hijos de regreso a casa. Ustedes me conocen bien y saben que si tuviera algún otro lugar adonde ir yo no estaría aquí. Si me ayudan en este momento yo estaría muy agradecido.*

Algunos voltearon su cara en señal de disgusto, pero suficientes colaboraron para ayudar a James a traer a sus hijos de regreso a casa. Yo realmente creo que porque James Braddock no robó, ni hizo nada en contra de sus valores morales, Dios quitó todo el dolor por el cual atravesó y lo usó como condición para bendecir su vida.

Desde ese día la vida de James Braddock cambió. Eventualmente su mano sanó y él tuvo la oportunidad de pelear nuevamente. Pero ahora, cuando peleaba, actuaba de manera totalmente diferente. Él peleba con gran intensidad y pasión. Él tenía un sueño nuevo. Cada vez que recibía un golpe, él tenía la visión de las botellas de lecha vacías con la nota «PAGO VENCIDO», y eso le dio el poder que necesitaba para pelear y ganar el match. Él nunca iba a volver a esa vida de nuevo. Parecía como si todos los problemas por los que había atravesado se juntaron y crearon un deseo que él necesitaba desesperadamente para cambiar su vida. James Braddock eventualmente pasó a convertirse en campeón del mundo en boxeo del Peso Pesado en 1935 y mantuvo el título por más de dos años.

Si tú estás leyendo este libro y estás pensando que las cosas están mal en tu vida, aguanta un poco más. ¡No te des por vencido cuando estás abajo! Entiende, no importa lo que hagas en la vida, tú nunca vas a poder evitar el dolor del crecimiento personal. Yo verdaderamente creo, al igual como lo hizo con James Braddock, Dios va a usar el dolor por el que estás atravesando como una condición para bendecir tu vida de manera grandiosa, siempre y cuando te mantengas fiel a Sus valores.

Capítulo 15

El poder de tu amigo invisible

(Fórmula #10)

Nunca pierdas la esperanza, mi corazón, los milagros moran en lo invisible. Si todo el mundo se pone en tu contra, mantén tus ojos puestos en el amigo.

- Runni

El mundo está lleno de personas solas; gente que está luchando sin cesar y no tienen a nadie con quien hablar. ¿De dónde saca poder una persona para alcanzar sus sueños cuando tiene tantas dificultades y miseria en su vida? Cuando tu corazón está lleno de dolor y tristeza, ¿cómo lo vacías?

Yo provengo de una cultura que tiene un código no verbal de responsabilidad personal: *¡Si estás sufriendo no le digas a tu esposa. No le digas a tus hijos. No le digas a tus padres. No se lo digas a nadie. Sé un hombre y maneja la situación tú mismo!...* Suena casi como un credo de un guerrero.

Hubo un tiempo en mi vida, unos años atrás, cuando parecía que todo estaba yendo mal. Mi mundo se estaba desmoronando alrededor de mí. Yo me sentía completamente inútil, navegando en medio de olas interminables de decepción y fracaso. Mi corazón estaba dolido de desesperación, anhelando conectarse con alguien o algo que pudiera aliviar el dolor. Yo solía escuchar ministros religiosos en televisión que decían, *Si te sientes deprimido, necesitas orar.* Yo traté eso, pero no funcionó para mí. Cuando oraba, era como si yo le hablaba a una pared de ladrillo; yo no escuchaba respuesta. Así que supe que la oración convencional no era la solución para mí.

Extrañamente, mi mente me llevó a un tiempo específico de mi pasado. Me recordó de una película que vi una vez cuando era niño. En este día en particular, cuando los padres de la niña estaban sentados en la sala del primer piso, ellos comenzaron a escuchar que su hija, quien estaba en un cuarto del segundo nivel estaba hablando con alguien. Los padres se susurraron, *¿Con quién está hablando?* No había nadie más en la casa.

El padre de la niña tranquilamente subió las escaleras y se asomó a la habitación de ella. Él vio a su hija bellamente vestida, sentada en una silla con la mesa arreglada, con dos platos, dos tazas y una tetera. Ella estaba sentada frente a una silla vacía. De repente ella comenzó a hablar con una amiga invisible que sentada en la otra silla. *¿No es un día hermoso?... ¿Quieres té?... Me encanta tu vestido... Ah, ¿a ti también te encanta mi vestido?... Este es un día tan maravilloso.*

Lo único que recuerdo de esta película era el gozo en el rostro de la niña cuando ella hablaba con su amiga invisible. Ella estaba tan contenta. Yo no sé qué me hizo pensar en esta película, o en la niña, pero ese día yo decidí hacer exactamente lo mismo. Yo decidí conseguir un amigo invisible con quien poder hablar. Mi amigo invisible, sin embargo, iba a ser el mejor amigo del mundo que alguien pueda tener. Mi amigo invisible iba a amarme de verdad, siempre estaría dispuesto a escucharme en cualquier momento que yo quisiera hablar, siempre iba a apoyarme, nunca me iba a juzgar, siempre me iba a perdonar y para siempre iba estar ahí para mí. Yo voy a poder decirle a mi amigo invisible cualquier cosa, y todo lo que tenga en mi mente y en mi corazón.

Ya que tengo el mejor amigo invisible en el mundo que alguien pueda tener, mi amigo tiene que tener el nombre más grandioso. ¿Qué nombre le voy a poner?... ¡Ya sé! ... No existe otro nombre mejor que éste. Yo le voy a poner a mi amigo invisible, «Dios».

Yo me conseguí un diario nuevo para escribir, y al igual que un guión de cine, decidí grabar mis conversaciones con mi Amigo Invisible. Yo escribí mi nombre en la esquina superior izquierda, y enseguida comencé a escribir mi conversación:

Terry: *Hola Dios, ¿cómo estás?*

Luego, tan pronto como pude, yo escribí la respuesta de mi amigo invisible,

Dios: *Hola, yo estoy bien, ¿y tú cómo estás?*

Yo dejé de escribir y silenciosamente me susurré a mí mismo, *¡Esto es una locura! ¿Qué estoy haciendo? Si alguien me ve haciendo esto va a pensar que estoy loco, al igual que esa niña!*

Yo seguía teniendo en mi mente esa imagen de lo feliz que se veía la niña mientras hablaba con su amigo invisible. Así que cerré la puerta y seguí escribiendo.

Hola Dios, ¿realmente estás aquí?

Por supuesto, yo siempre estoy aquí para ti.

De nuevo, dejé de escribir. Yo golpeé mi lapicero sobre la mesa y grité, *¿Qué estoy haciendo? ¡Este no es Dios! ¡Soy yo con un lapicero!* Estuve en una lucha con mis pensamientos... *¿Estás loco? ¿Por qué estas haciendo esto?...¡Yo quiero hacerlo porque yo quiero creer! ¡Yo quiero creer que Él está aquí! ¡Yo quiero creer que Él me escucha! ¡A mí no me importa lo que los demás piensan! ¡Yo quiero creer!*

Yo agarré mi lapicero y seguí la conversación. *Dios, yo me estoy sintiendo tan deprimido. Mi negocio colapsó. Yo perdí todo mi dinero. Yo me siento tan avergonzado y apenado. No me quedó nada. Mi matrimonio es un desastre. Yo no sé qué hacer. No tengo a nadie con quien hablar. ¿Me puedes ayudar?...*

Terry, está bien. Yo estoy aquí. Todo va a estar bien.

Yo seguí escribiendo todo lo que estaba en mi mente. Yo le dije a mi Amigo Invisible cada inquietud y preocupación que había en mi corazón. Yo seguí escribiendo y escribiendo; por horas y horas, por días, por semanas, por meses, yo seguí escribiendo. Yo quería vaciar mi corazón desesperadamente de todo el dolor que seguía ahí y simplemente no se iba.

Mientras mi relación progresaba, yo comencé a hacerle preguntas a mi Amigo Invisible. *¿Dios, cómo debo tratar a mi esposa?»*. Sorpresivamente la respuesta que fue, *«¿Cómo crees que debes tratar a tu esposa?...Bueno, yo creo que debo de tratar a mi esposa así, y así, y así. ¿Está bien así? ¿Piensas que está bien así?* Yo no podía creer la respuesta. Parecía como si mi Amigo Invisible era un experto en ventas. Él siempre contestaba mi pregunta con otra pregunta. Pero yo seguí escribiendo.

Después de unos meses pasó algo increíble. Mi corazón estaba completamente sin dolor. Yo me sentía tan liviano. No se me venía nada a la mente que me preocupara o inquietara. La tristeza se había ido por completo. Yo me sentía como si hubiera tenido el secreto más grande del mundo. Mi Amigo Invisible estaba conmigo e iba a todas partes que yo iba. Ni siquiera necesitaba mi diario. Mientras caminaba le preguntaba, *¿Dios, estás ahí?* Y Él contestaba, *Sí, justo detrás de ti.* Yo me sentía tan empoderado de sentir Su presencia.

Yo animo a ti, querido lector de este libro, que hagas lo mismo. Incluso si tienes a alguien muy cercano con quien puedas hablar, aún así te animo que hables con tu *Amigo Invisible.*

Trata de hacerlo por 6 meses, te vas a sorprender; paz interior, gozo y empoderamiento son los frutos de esta relación.

Solamente años más tarde yo me daría cuenta lo absolutamente invaluable que el descubrimiento de mi *Amigo Invisible* iba a ser para mí.

Seis años después de que mi padre falleció, yo fui a la India a llevar sus cenizas a un sitio sagrado de su tierra natal. En la India, dos días antes de regresar a Canadá, yo estaba en un cuarto de hotel revisando mi correo electrónico. Yo eché una vistazo rápido a la mayoría de mis correos, y de repente me detuve en este correo electrónico; cuando lo comencé a leer, mi corazón se hundió en mi estómago. El correo era acerca de una inversión que había hecho unos años atrás. Básicamente decía que el dueño de la compañía había malversado los fondos y que el saldo de la inversión de $125,000 que yo había hecho estaba en $0. El dinero se había esfumado. Mi corazón paró de latir. Un sudor frío envolvió todo mi cuerpo. Caí lentamente de rodillas agarrándome el estómago. Me sentía como si iba a vomitar. Aunque yo luché por detenerlas, las lágrimas llenaron rápidamente mis ojos. Yo simplemente estaba devastado. Yo me sentí avergonzado y absolutamente sin palabras. Aquí yo estaba poniendo las cenizas de mi padre a descansar, y ahora tenía que lidiar con esta humillación.

No había otra cosa que yo pudiera hacer más que hablar con mi Amigo Invisible. Cuando estaba a punto de comenzar, mi mente me llevó al pasado. Yo comencé a recordar un evento en particular 26 años atrás cuando me dieron una cinta de audio de casete de un hombre muy rico llamado Dexter Yager. En este casete él estaba hablando acerca de una inversión que acababa de hacer y estaba esperando escuchar el resultado. Él sabía que algo malo había sucedido con la inversión, pero no sabía exactamente qué. Él estaba esperando la confirmación de la pérdida. Al recibir el reporte actual, él se dio cuenta que había perdido de 80% a 90% de su riqueza. Luego él procedió a decirle a su esposa Birdie que le habían confirmado, ellos habían perdido el dinero. Sus palabras es lo que yo recuerdo que me llegaron a lo profundo. Aquí está la conversación entre él y su esposa, lo mejor que puedo recordar:

Birdie, vámonos…

¿A dónde estamos yendo?...

¡A construir sueños!

¿Por qué vas a ir a construir sueños, Dex, justo cuando has perdido tanto dinero?...

¡Tenemos que soñar en grande! ¡Entre más grande es el sueño, más pequeños son los obstáculo!

Cuando repetí las palabras de Dexter en mi cabeza y luego en voz alta a mí mismo, yo comencé a sentir un sentimiento arrollador de empoderamiento. Yo me puse de rodillas y comencé a orar. Yo le pedí a Dios que me dirigiera y me mostrara cómo podía hacer cosas más grandes con mi vida para Él. Cosas que yo nunca había imaginado. Cosas tan grandes que hagan que este obstáculo parezca nada. Yo le dije a Dios que yo creía totalmente en su dirección. Yo sabía que Él iba a abrir todas las puertas para mí, para que yo pudiera lograr todos estos sueños nuevos y grandes metas. Yo me sentí tan empoderado después de orar. Yo pensé entre mí y con mucha confianza dije, *Dios va a abrir todas las puertas ahora porque yo le he mostrado que tengo fe.*

Dos meses después mi itinerario estaba totalmente lleno para dar conferencias en California. Llegó la fecha para la primera y me dirigí hacia el aeropuerto de Toronto, Canadá. Al pasar por inmigración de los Estados Unidos, uno de los oficiales me detuvo. El oficial me dijo que yo necesitaba una visa especial para entrar como orador profesional a los Estados Unidos. Yo no sabía absolutamente nada de cómo funcionaba la visa y le dije, *está bien, ¿cuánto cuesta?* y él dijo, *Esto no funciona de esa manera. Usted tiene que salir del aeropuerto y aplicar para la visa, cuando ésta sea aprobada usted puede entrar a los Estados Unidos....*

Pero hay cientos de personas esperando por mí...

Lo siento, no hay nada más que yo pueda hacer por usted. A usted se le ha negado la entrada por no tener los documentos apropiados.

Yo estaba completamente devastado. Llamar a los organizadores de las convenciones en California y decirles que me habían negado la entrada fue lo más vergonzosa que me ha pasado en la vida. Mientras salía del aeropuerto abatido y muy, pero muy molesto, yo me sentí como si me hubieran robado a punta de pistola. Todas las esperanzas y sueños que tenía fueron aplastados de un golpe. Yo no podía creer lo que acaba de suceder. Yo pensé que Dios iba a abrir todas las puertas. Esto no tenía sentido... ¿Por qué había Dios cerrado la puerto con tanta fuerza?

El siguiente lunes fui a ver un abogado de migración. Él me dijo que mi situación era bastante común y que se podía arreglar fácilmente por un precio de $1,100. Después de hablar con él yo me sentí más relajado y definitivamente respiré más profundo. Después de pagar los costos del trámite, él presentó todos los documentos necesarios en pocos días. Una semanas más tarde me informaron que había sido rechazado nuevamente y lo único que podía hacer era solicitar una visa más complicada. Esta otra visa era más cara y era mucho más difícil calificar para obtenerla. Era la única opción que me quedaba. Solamente los honorarios del abogado eran de $3,500 sin garantía de ser aprobado. No tenía otra alternativa más que comenzar el proceso. Esto fue en el mes de enero.

En febrero yo fui de compras con mi madre. Por lo regular mi madre y yo caminábamos uno al lado del otro, pero por alguna razón ese día ella estaba caminando un poco más rápido de lo normal. Yo me di cuenta de algo extraño mientras ella iba delante de mí. Parecía como si ella hubiera estado caminando de manera diagonal. Yo caminé más rápido para alcanzarla y le dije, *¿por qué estás caminando de esa manera?* Yo estaba horrorizado al darme cuenta que uno de los lados de su cara estaba torcido. Yo sabía que esta era una señal de un ataque al corazón. Yo tuve miedo de decirle lo que estaba viendo porque ella estaba preocupada. Gracias a Dios la clínica del doctor estaba literalmente a 50 pies de donde nosotros estábamos. El doctor me dijo que la llevara al hospital inmediatamente.

Ya en el hospital el doctor procedió inmediatamente a hacer un escaneado cerebral. Pocas horas después, mientras mi madre dormía, él doctor regresó con los resultados. Él me dijo que mi madre tenía un tumor cerebral de los más graves y que no podía operar. Tenía aproximadamente tres meses de vida y que no había nada que se pudiera hacer.

Lo siento, dijo él.

Yo pasé tras las cortinas de la sala de urgencia donde mi madre estaba durmiendo. Mientras ella dormía tranquilamente yo vi su rostro y se me rompió el corazón. Lágrimas comenzaron a caer de mi rostro. Toda mi vida había estado ahí para mi madre. Siempre ahí para servirla. Siempre ahí para protegerla, y ahora me sentía completamente inútil. Yo no podía hacer nada para ayudarla. Yo me senté en la silla al lado de su cama, tomé un pedazo de papel y comencé a escribirle a mi Amigo Invisible…

2:20am

Buenos días querido Padre Celestial.

Querido hijo, yo entiendo por lo que estás pasando. Yo estoy aquí para ti. Tú has cuidado de tus padres de una manera muy diligente. Me has hecho sentir orgulloso al ver cómo les has servido. Hijo querido, sé fuerte y ten fe. TODO está bien. TODO va a estar bien. Yo estoy aquí para ti. Yo entiendo tu dolor, tu ansiedad, tus lágrimas, tus frustraciones, tu preocupación. Está bien hijo, sé fuerte, yo lo estoy viendo todo. Yo me estoy encargado de todas las cosas en todas las direcciones. Por favor querido, ten fe en cualquier cosa que pase. Yo estoy aquí. Todo va a estar bien.

Muchas gracias, Padre celestial. Yo no sé qué haría sin Ti. Mi corazón explotaría. Muchas gracias. Yo puedo sentirte en mi corazón, muchas gracias. Yo te necesito hoy más que nunca. Si es posible por favor haz que el tumor se disuelva y desaparezca, pero que no se haga mi voluntad sino la Tuya. Yo amo mucho a mi madre, pero yo entiendo y también te amo mucho a Ti. Yo tengo plena confianza de que Tú vas a cuidar de mi madre, ya sea aquí o en el mundo espiritual. Yo realmente espero que ella pueda quedarse con nosotros mucho más tiempo y con buena salud…lo dejo en tus manos. Pero por favor entiende, como Tú ya lo sabes, te ruego por un milagro, en el nombre de Jesús. Padre Celestial, yo entiendo completamente si te quieres llevar a mi madre, porque yo sé muy bien que mucha gente joven ha sufrido pérdida de ambos padres a edad temprana en la vida; el dolor insoportable y angustia de no tener padres. Yo no he sufrido nada de eso. Yo he tenido además muchos bellos momentos sirviendo y siendo amado por ambos padres. Yo he sido realmente bendecido.

Yo sé muy bien cómo te sentiste cuando perdiste a tu hijo Jesús, la manera que fue torturado, la angustia que debes haber sentido, el dolor. Seguramente Tu corazón se quebró en mil pedazos. Yo entiendo totalmente si por alguna razón te quieres llevar a mi madre, justamente como Jesús tuvo que dejar la tierra, así que ¿quién soy yo para rogarte que salves a mi madre y decirte que me des más tiempo con ella? Yo solamente soy alguien que realmente te ama y confía en ti. Lo que sea tu voluntad, yo estoy de acuerdo.

Padre Celestial, por favor guía mi corazón, mi mente y mi alma para servir a mi madre aquí y a mi padre en el mundo espiritual, y ser continuamente el hijo devoto. Padre por favor úsame para que yo pueda amar a otros con corazón bondadoso, con palabras y acciones. Por favor ayúdame a amar a mi madre más que nunca. Por favor dirige a los doctores que están revisando el caso de mi madre para que sean inspirados y tocados por tu corazón y tu sabiduría para que hagan Tú voluntad.

Padre Celestial, yo voy a iniciar un ayuno de 24 horas comenzando ahora. Por favor usa esto como condición para sanar a mi madre de cualquier manera posible, siempre y cuando sea TU voluntad.

Padre Celestial, me gustaría darte un abrazo. TU debes oír el clamor y las oraciones de muchos, tu corazón se desborda constantemente con la angustia de tus hijos. Padre Celestial, este hijo tuyo que te está escribiendo, está orando, te ama entrañablemente. Yo estoy aquí para secarte las lágrimas de tus ojos, para poner una sonrisa en tus rostro, para abrazarte, para darte gozo. Te amo mi Padre Celestial.

Yo entiendo tu dolor Padre Celestial, siento mucho que muchos te hayan lastimado una y otra vez. Por favor, perdónalos. Yo voy a hacer todo lo que sea posible para darte gozo en lugar de ellos. Padre Celestial por favor úsame. Padre Celestial, por favor perdóname por no ser un buen hijo en mi juventud y por no haber sido el mejor hijo para mis padres terrenales antes, y mejor padre para mis hijos antes, y mejor marido para mi querida esposa antes. Yo los amo mucho. Por favor toma el control de mi corazón y ayúdame a amarlos más.

Padre Celestial, por favor ayuda a mis hermanos y hermanas. Enterarse de la situación en la que mi madre se encuentra ahora va a ser devastador. Por favor guía sus corazones para que sepan que TODO va a estar bien. Por favor guía mi corazón para amarlos a todos en este tiempo de prueba.

Padre Celestial, por favor no te preocupas por mí. Yo estaré bien. Yo seré fuerte. Yo soy un soldado del Cielo, voy a hacer que te sientas orgulloso de mí. Yo voy a trabajar muy duro para propagar la bondad alrededor del mundo. Yo voy a ser bondadoso, perdonador, compasivo, y al mismo tiempo voy a ser un león para Ti, anima mi corazón para que yo haga Tu voluntad. Por favor guíame. Yo te amo mucho, querido Padre Celestial.

Antes que me negaran la entrada a los Estados Unidos, yo tenía compromisos programadas para cada fin de semana para el mes de mayo. Después de que se me negó la entrada yo las cancelé todas. Mi madre murió tres meses y medio después de que le detectaron el tumor, el 16 de mayo. Si no me hubieran negado la entrada a los Estados Unidos, no hubiera estado presente cuando ella falleció. El día que me negaron la entrada sentí como si hubiera sido uno de los peores días que había tenido que enfrentar. Debido a que me negaron la entrada, yo estuve completamente libre para estar con mi mamá todos los días, 24 horas al día. Yo tuve la oportunidad de grabar todo tipo de videos. Esos videos de las últimas memorias de mi madre no tienen precio. Ella todavía estuvo para mi cumpleaños, el 11 de mayo. Tengo fotografías besando a mi madre en el último minuto de mi cumpleaños. Gracias a Dios que me negaron la entrada. El 16 de mayo, mi madre estaba rodeada de sus seres queridos cuando suspiró por última vez. Fue el final, y fue extremadamente doloroso darme cuenta de lo que acababa de pasar frente a mis ojos. El momento que todos temíamos había llegado y se había ido silenciosamente. De repente todo había terminado. La jornada de mi madre en esta tierra había terminado. En ese mismo instante la habitación estalló en llanto de los corazones quebrantados y hubieron oleadas de lágrimas al darnos cuenta que nunca más volveríamos a escuchar su voz. Nunca más nuestra madre nos volvería a consolar en sus brazos. Para poder dar un pequeño respiro, lentamente levanté mi cabeza por encima del dolor de la habitación y miré por la ventana. Mientras miraba los árboles meciéndose en el viento, yo escuché la voz consoladora de mi Amigo Invisible, «*Todo va a estar bien*».

Sólo después que mi madre falleció yo realmente me di cuenta el papel que ella había jugado en mi vida:

Mi madre, ¿qué hizo mi madre por mí?
Ella no estuvo ahí para evitar mis luchas.
Ella no estuvo ahí para evitar mi dolor.
Ella no estuvo ahí para evitar mis lágrimas.
¿Qué hizo mi madre por mí?
Todos los días cuando me despertaba, ella estaba ahí.
Todos los días cuando yo regresaba a casa, ella estaba ahí.
Todos los días cuando yo me iba a la cama, ella estaba ahí.
Ella siempre estaba ahí.
Incluso cuando muchas veces,
no noté su presencia,
no reconocía su presencia,
no pensé en ella,
Ella siempre estuvo ahí.

Ella siempre estuvo ahí en el historial de mi vida,
Para que un día, estuviera yo en el centro mi escena.
Ella siempre estuvo ahí.
Mi madre, ¡siempre estuvo ahí!
- Terry Gogna

Mi madre falleció exactamente un año y dos días después que mi padre. La mayoría de los miembros de mi familia me ven como uno de los miembros más fuertes de mi familia porque yo fui entrenador de desarrollo personal y orador motivacional. Todos creían que yo estaba manejando la muerte de mi madre muy bien. Ellos tenían la impresión que yo era emocionalmente fuerte y nunca caía.

Un par de semanas después de que mi madre falleció, yo recuerdo este día en particular. Yo me fui a la sala en la parte de atrás de la casa donde mis padres pasaban la mayor parte del tiempo, y mientras estaba sentado en el sillón reclinable de mi padre, vi a mi lado derecho, el cojín del sofá donde mi madre descansaba su cabeza durante las tardes soleadas. A mi izquierda, yo pude ver las pequeñas pantuflas rojas de mi madre esperando ansiosamente ir a caminar. Mientras estaba sentado en el sillón no pude dejar de pensar en mis padres. Yo viví con mi madre por 45 años y ahora de repente ellos se habían ido, en el término de un año. La casa estaba dolorosamente tranquila. Yo me sentí muy solo.

Mi fe estaba siendo estirada hacia sus límites. Ya no tenía fuerza espiritual o emocional para detener mis lágrimas. Yo me derrumbé por completo en la absoluta tristeza… *¿Por qué tenías que llevártelos a ambos? ¡No es justo!*

¿Por qué me estás culpando de haberme llevado a tus padres? ¡Me deberías de estar agradeciendo por habértelos dejado con vida por 45 años!

Mi corazón estaba completamente destrozado y desecho en mil pedazos. Yo no podía detener mis lágrimas. Yo amaba a mi madre más que a nadie en este mundo y ahora ella ya no estaba. Yo la extrañaba mucho. Todas las fórmulas que había descubierto a los largo de los años, fórmulas de las que hablaba en las convenciones, eran completamente inútiles en este tiempo de desesperación. Yo no podía levantarme emocionalmente a mí mismo para hacer algo. Yo había perdido el poder para alcanzar mis sueños.

De repente, yo escuché una voz en el corazón, *Tú hablas con tu Amigo Invisible todo el tiempo, así que, ¿por qué no le hablas a tu madre? ¿Qué te diría ella si la pudieras escuchar ahora?*

Inmediatamente agarré un pedazo de papel y comencé a escribir. Yo escribí exactamente lo que mi corazón mi inspiró a que escribiera; las palabras que yo creo que mi madre me hubiera dicho si yo hubiera podido escuchar su voz.

Un mensaje de parte de «Bibi» (Madre)

Tu Papaji (papá) y yo no te hemos dejado. Nosotros los visitamos a todos en su hogar frecuentemente. Ya que tener solamente cuerpos espirituales nos permite viajar en segundos a cualquier lado. Nosotros somos libres para viajar del mundo espiritual al mundo de ustedes en cualquier momento gracias al amor de ustedes hacia nosotros. Si nos necesitas, todo lo que tienes que hacer es llamarnos con tus pensamientos y estaremos contigo en segundos. Si de repente tienes un sentimiento de tristeza y comienzas a extrañarnos, es porque nosotros hemos venido a visitarte. Nosotros los extrañamos mucho a todos, pero cuando vinimos a visitarlos, su espíritu siente nuestra presencia y eso causa que ustedes sientan tristeza en su corazón. La tristeza eventualmente se irá, es simplemente parte de la vida. Cuando nosotros los visitamos, podemos ver y escuchar todo lo que ustedes están haciendo en sus hogares. Aunque no nos podamos comunicar con ustedes en este tiempo, eso no será así para siempre.

Cuando una persona se va para el mundo espiritual, eso es muy doloroso porque ustedes ya no la pueden ver con sus ojos humanos. Todo tiene su razón de ser. Cuando uno pierde a un ser querido, este es el único tiempo en que estará motivado a desarrollar un sentido espiritual. A medida que comiencen a orar más, van a escucharnos y sentirnos en el fondo de su corazón. Nosotros los vamos a estar dirigiendo todos los días, así que por favor esfuércense para escucharnos. Por favor hablen con nosotros, nosotros podemos oír todo lo que ustedes dicen. Díganos lo que sienten y lo que piensan. Cuéntennos acerca de lo que está pasando en su vida, nosotros todavía estamos aquí, los podemos escuchar. Yo sé que es difícil, pero por favor tengan fe de que esto es cierto.

Su Papaji y yo estamos juntos en una aventura hermosa. Nosotros estamos visitando muchos amigo y familiares que no habíamos visto por mucho tiempo. Todo es muy emocionante y lo mejor de todo es que no hay ningún dolor físico. El mundo espiritual es un lugar bello cuando uno es amado. Su Papaji y yo queremos que ustedes disfruten su vida al máximo, sabiendo que nosotros estamos con ustedes todos los días y para siempre. Ustedes tienen que ser fuertes y fortalecer su familia como lo hicimos nosotros, con mucho amor. Nosotros también perdimos a nuestros padres. Recuerden que cuando la tristeza los invade, eso significa que nosotros acabamos de entrar en su casa, así que por favor no lloren, más bien hablen con nosotros. Cada uno de ustedes sabe cuánto nos encanta hablar con todos, especialmente a mí me encanta hablar por teléfono todos los días…

Los amamos mucho.

Su Bibi

Lo más asombroso pasó después que yo escribí esta carta. De repente todo el dolor desapareció. Yo ya no me sentí solo. Yo creo con todo mi corazón y hasta hoy en día sigo creyendo que estas palabras vinieron directamente del corazón de mi madre.

Esta hermosa carta enjuagó todas las lágrimas y la tristeza de mi corazón como solamente los confortantes brazos de una madre pueden hacerlo. Me dio la paz que yo necesitaba desesperadamente. Fue esta paz lo que me dio la fuerza para levantarme y comenzar a perseguir mis sueños nuevamente.

Yo he hablado en muchos escenarios a miles de personas en muchos países alrededor del mundo y la gente me pregunta todo el tiempo, *¿No se siente nervioso cuando está en el escenario hablando a tanta gente?* Yo le digo a todos lo mismo:

Yo siempre me pongo un poquito nervioso, pero nunca tengo miedo porque yo sé que no estoy solo. Hay cuatro personas en este escenario… Mi padre, mi madre, mi Amigo Invisible y yo.

Por favor entiende, cuando persigas tu pasión con todas tus fuerzas, habrán muchas veces en tu viaje cuando te vas sentir rechazado y completamente solo. ¡Tú no estás solo! Tu Amigo Invisible está siempre a tu lado, esperando que tú tomes el primer paso. Todo lo que tienes que hacer es tener fe, extiende la mano y habla con Él.

Capítulo 16

El poder del amor

(Fórmula #11)

Tú sabes que estás enamorado cuando no puedes dormir, porque finalmente la realidad es mejor que tus sueños.

- Dr. Seuss

Durante todos los años de adolescencia yo luché mucho con baja autoestima, especialmente cuando se trataba de chicas. A mí siempre me faltaba el valor para pedirle a una chica que saliera conmigo en una cita. Yo estaba totalmente horrorizado de escuchar la palabra «No». Yo no tenía temor al rechazo. Lo que más me preocupaba era que le dijera a sus amigas que me había dicho que no porque yo era muy poca cosa para ella. El terror de ser avergonzado me mantuvo como rehén durante toda mi juventud.

Era un día nublado en Birminghan, Inglalterra. Yo tenía 16 años y estaba aburrido y mal de la cabeza. Yo estaba en mis vacaciones de verano y estaba parado al lado de la puerta del frente de la tienda de mis padres mirando la calle. Yo no estaba viendo nada en particular, simplemente perdiendo tiempo, esperando que algo interesante estuviera pasando afuera para agregar una chispa a toda mi monotonía. De repente mis ojos fueron magnetizados por la impresionante belleza de una chica. Ella tenía cabello negro largo con fleco sobre la frente, y tenía puesto un vestido estilo gitano con tirantes delgados. Se me estaba haciendo difícil mantener mi respiración porque mi corazón comenzó a latir más y más rápido. Entre más la miraba, más se alejaba de mí. *¿Qué va a pasar si la pierdo de vista?* pensé. Inmediatamente abrí la puerta y disimuladamente comencé a seguirla. Ella desapareció en una farmacia. Yo me crucé la calle y vi hacia adentro de la farmacia. Para mi sorpresa, ella estaba detrás del mostrador, trabajando de cajera. «¡Qué bien!», yo me susurré a mí mismo en silencio. Ahora que sé donde trabaja, pacientemente puedo planear mi plan de acción… *Así que esto es lo que se siente cuando uno está enamorado,* pensé dentro de mí.

Yo no podía sacarla de mi mente. Así que el siguiente día decidí pedirle que saliera conmigo. La atracción era bastante abrumadora. Yo me dirigí hacia la farmacia y esperé pacientemente afuera, esperando el momento preciso. Antes de entrar yo quería asegurarme de que no hubiera ningún cliente en la farmacia. Cuando entré a la farmacia yo estaba muy nervioso, yo podía sentir el sudor frío más lento que nunca goteando en mis axilas. La chica estaba a espaldas de mí recolocando un estante con mercancía. Mientras estaba caminando hacia ella yo sentí como si hubiera estado caminando sobre un tablón de un barco pirata, con cada paso que daba me acercaba más a la orilla. En mi mente yo estaba ocupado practicando una y otra vez las palabras que le iba a decir:

¿Te gustaría salir conmigo el sábado por la noche?... Me encantaría que saliéramos el sábado por la noche. ¿Tienes algo que hacer?... ¿Estás libre el sábado por la noche? Cuando finalmente ella se dio la vuelta, yo, con mucho valor la vi directamente a sus grandes y bellos ojos y dije: *¿Me puedes dar una caja de esas vitaminas por favor?*

Yo no podía creer las palabras que habían salido de mi boca. ¿Qué paso con las otras palabras que yo había estado practicando?...nunca salieron de mi boca. Esta chica no tenía la menor idea de la agonía interna que yo estaba atravesando. Yo pagué las vitaminas y salí de la farmacia completamente decepcionado.

Pocos días después yo decidí intentarlo de nuevo. Yo estaba convencido que esta vez los resultados serían mucho mejor porque ya no éramos extraños. Después de ver si «habían moros en la costa», entré a la farmacia, caminé directamente hacia el mostrador con confianza, miré directamente sus grandes bellos ojos, sonreí valientemente y le dije, *«¿Me puedes dar una caja de esas vitaminas por favor?»*

Yo no podía creerlo. Las palabras estúpidas y equívocas salieron nuevamente de mi boca. Sin embargo, esta vez, la chica me sonrió y luego me dio las pastillas. Después de pagar, yo salí de la farmacia decepcionado y desalentado.

Yo seguía sin poder sacarla de mi mente, y unos días después yo decidí hacer un nuevo intento. Yo sabía que esta vez sí iba a funcionar. La tercera es la vencida. Así que nuevamente, después de asegurarme de que «no hubieran moros en la costa» entré a la farmacia, caminé directamente hacia el mostrador con confianza, miré directamente a los bellos ojos grandes de la chica y le dije: *«¿Me puedes dar una de caja de esas vitaminas por favor?»*...la chica comenzó a reír a carcajadas. Yo le dije, *«son para mi padre»*. Yo me sentí tan estúpido, a mí simplemente no me salían las palabras adecuadas. Después de pagar por las vitaminas, salí de la farmacia por tercera vez, sin nada más que las vitaminas. Por nada volvería a ir a esa farmacia, por otro lado, mi padre me iba a matar si miraba todas esas cajas de vitaminas.

Yo pensé que estaba enamorado de esa chica, pero me di cuenta que yo no la amaba lo suficiente como para vencer el miedo que le tenía a mi padre. El miedo era más grande que el amor que sentía por ella y debido a eso, yo la perdí; ella terminó siendo la novia de alguien más. Si realmente la hubiera amado, el miedo no me hubiera detenido.

A la edad de diecinueve años yo fui a Canadá a visitar a mi hermano. La última semana de mis vacaciones yo fui invitado a una fiesta de aniversario. Durante la fiesta yo estaba sentado en una escalera platicando con otro chico. De repente, una chica con un traje verde pasó caminando. Cuando pasó frente a mis ojos, fue como si ella me hubiera puesto en un trance. Los latidos de mi corazón se elevaron hasta el techo y comencé a sentirme realmente, pero realmente bien extraño. Mi corazón estaba golpeando tan fuerte en mi pecho que pensé que todos lo podían escuchar. Yo me levanté de la escalera y comencé a seguirla. Ella se dirigió hacia el sótano donde todos estaban reunidos. Yo la vi sentada en el piso cerca de la parte de atrás de la habitación con otras chicas. Yo le pregunté a mi hermano si podía ver la chica de traje verde. Él dijo: *Sí, ¿por qué?* Yo le dije: *¡Yo me voy a casar con ella!* Lo más tonto es que ni siquiera nos habíamos conocido. Mi hermano estaba completamente en shock cuando yo le dije que necesitaba su ayuda para hablar con el padre de la chica. Yo quería que él sugiriera un matrimonio arreglado para nosotros dos, si ella estaba de acuerdo. Los matrimonios arreglados eran algo común en nuestra cultura Hindú en ese tiempo. Él dijo que iba a hablar con su padre en los próximos días. Yo no iba a esperar tanto tiempo, aunque la única conversación que había tenido con ella esa noche había sido, «¿Cómo te llamas?». Eso fue todo.

El siguiente día yo me encontré sentado en la mecedora escuchando canciones de amor de Paul Anka y orando, lo cual era extraño porque en ese tiempo yo era un ateo devoto. Yo hice una oración simple, pero con sentimiento. Yo le prometí a Dios que iba a creer en Él si me ayudaba a casarme con esta chica. Todo lo que yo pude hacer durante las próximas horas fue pensar en ella y escuchar canciones de amor. Yo estaba completamente golpeado por el amor.

De repente, el teléfono sonó. La persona que estaba llamando era una amiga de la chica de traje verde. Ella también había estado en la fiesta aquella noche. Ella me pidió que asistiera a una cita doble. Yo le pregunté quién era la otra chica que iba a ir con nosotros. Ella me dijo que era Rani. Ese era el nombre de la chica de traje verde. ¡Casi me da un ataque cardíaco! Yo estuve de acuerdo. Cinco minutos después de que había colgado el teléfono, éste sonó de nuevo. Esta vez era la mismísima Rani. ¡Este vez sí pensé que de verdad iba a tener un ataque al corazón! Ella me preguntó si había recibido una llamada de su amiga y que qué me había dicho. Yo le dije a Rani que había estado de acuerdo en ir a una cita doble solamente porque me habían dicho que ella iba a ir. Para mi sorpresa, ella me dijo, *La única razón por la que yo iba es porque me enteré que tú ibas.* Yo estaba asombrado.

Yo le sugerí que cancelara la cita doble y que saliéramos en cita solamente ella y yo. Ella estuvo de acuerdo. Nosotros nos reunimos el siguiente día y pasamos un día entero juntos. Nosotros compartimos muchas cosas de nosotros mismos. Fue un día increíble. Esa noche ella se fue para su casa y yo me fui para la casa de mi hermano. Cuando llegué a casa me fui directamente al teléfono y la llamé. Yo le hice dos preguntas: *¿Disfrutaste el día?* y *¿Te quieres casar?* Ella contestó: *¡Sí, está bien!...* Yo sé que suena como una locura, pero eso fue exactamente lo que pasó, y en mi cumpleaños número 20 nosotros nos casamos. Hemos estado casados por casi 30 años y tenemos dos hijos maravillosos.

Y por si acaso, yo ya no soy ateo. Este es un testimonio no solamente del poder de la oración, sino del poder del amor. Fue el poder del amor lo que realmente le dio poder a mi oración.

Capítulo 17

El poder de tu pasado positivo

(Fórmula #12)

Cada santo tiene un pasado y cada pecador un futuro.
- Oscar Wilde

Yo siempre he oído que mucha gente dice: *Si quieres crear un grandioso futuro tienes que olvidar tu pasado. Tú debes olvidarte de lo negativo de tu pasado si quieres seguir adelante en la vida.* Es fácil decirlo, pero para la mayoría de las personas eso es prácticamente imposible. Yo personalmente he descubierto que hay un camino, donde en lugar de tratar de olvidar tu pasado, tú puedes usar ese pasado para que te dé fuerza para construir un gran futuro. Esta es la manera de hacerlo... Consíguete un diario que sea de aproximadamente 120 páginas. Enumera cada página claramente. Estas páginas representan los posibles años de tu vida. Si tienes 40 años de edad, estás en la página 40, con todas las páginas en la izquierda representando tu pasado y todas las páginas a la derecha representando tu futuro. Hay cuatro cosas importantes que debes registrar en estas páginas:

1.- Cada **TRIUNFO,** ya sea pequeño o grande, que recuerdes haber logrado a través de tu vida. Tal vez cuando tenías diez años ganaste un trofeo por haber ganado una carrera en la escuela. Escríbelo. Fue un triunfo. El primer trabajo donde te contrataron, sin importar que tan bajo haya sido el salario. Escríbelo. Fue un triunfo. El objetivo de este ejercicio es desenterrar de las profundidades de tu subconsciente cada pedacito de triunfo que hayas experimentado e inundar totalmente las páginas con éste. Una vez que lo hayas hecho, te vas a quedar asombrado de todo el poder que te va a dar para experimentarlo de nuevo, todo los triunfos que has logrado y olvidado...lo has traído todo de nuevo a la vida.

2.- Cada **EXPERIENCIA ESTUPENDA** que hayas tenido en tu vida. Quizás fuiste de vacaciones con tus padres cuando eras pequeño y recuerdas algo maravilloso que pasó. Escríbelo. Quizás fuiste a bucear al océano por primera vez, o fuiste a paracaidismo o a escalar montañas. Escríbelo. Todas estas cosas te dan un sentido de satisfacción, mostrando que ya has experimentado algunas cosas grandiosas en tu vida, cosas que ya se te habían olvidado, y ahora las has traído a memoria nuevamente.

3.- Todas las **PERSONAS MARAVILLOSAS** que han llegado a tu vida. Unos años atrás yo comencé a rastrear cómo exactamente alguna persona en particular había influenciado mi vida de una manera excelente. Mientras rastreaba mis pasos, yo estaba en shock cuando descubrí que todo se remontaba hacia una persona, llamémosla Jane, a quien odié totalmente en cierta época de mi vida. Muchos años atrás, Jane dio mi nombre como referencia a un vendedor. Ese vendedor me condujo hacia otra persona, quien eventualmente me condujo hacia otra persona que hizo una gran diferencia en mi vida. Por muchos años yo tuve mucho resentimiento contra Jane por razones personales. El resentimiento contra Jane era tanto que yo no aguantaba estar en la misma habitación con ella. Solamente pensar en Jane me hacía hervir la sangre.

Muchos años más tarde, después de atravesar por un gran crecimiento espiritual, hubo un período en mi vida cuando siempre que intentaba orar, yo podía escuchar en mi mente, «¿Por qué me pides que te perdone si tú no has perdonado a la persona contra quien tienes resentimiento?» ¡Me estaba volviendo loco! Cada vez que oraba, yo escuchaba estas palabras. Yo sabía que no iba a poder orar otra vez hasta no resolver este problema. Yo decidí perdonar a esa persona. Sin embargo, yo sabía que no iba a decir simplemente dentro mí, *te perdono.* Yo tenía que hacer las paces cara-a-cara porque esa persona posiblemente se sentía de la misma manera hacia mi persona. Yo decidí esperara hasta la siguiente vez que tuviéramos una reunión familiar y hacerlo entonces.

El día finalmente llegó. Yo fui invitado a una reunión familiar y sabía que esa persona iba a estar presente. Yo le tuve que decir al anfitrión de la casa que iba a llegar un poco tarde debido a una reunión de negocios. Cuando llegué a la casa, todos estaban terminando de comer sus aperitivos. El anfitrión me dijo que había suficiente comida en las mesas en el primer piso de la casa. Cuando iba caminando hacia abajo a traer mi comida, yo no podía creer lo que estaba viendo. La habitación estaba completamente vacía, excepto por una persona que también había llegado tarde, Jane. Ella estaba parada en la mesa agarrando comida. ¿Coincidencia? Parece poco más que coincidencia. Yo no podía creer la oportunidad tan perfecta. Cuando caminé hacia las mesas, Jane se dio la vuelta y dijo, *Hola…* yo sabía que esta era mi única oportunidad. Antes que los demás llegaran a la habitación, yo tenía que decir lo que necesitaba decir, ahora.

Yo quiero darte las gracias… ¿Por qué?... hace unos días yo hice un ejercicio donde tenía que hacer memoria de cómo una persona en particular que había influenciado mi vida de una manera grandiosa había llegado a mi vida. Mientras hacía memoria de los pasos, éstos me dirigieron hasta llegar a ti. ¿Recuerdas que hace unos años atrás tú le diste mi nombre a un vendedor que estaba vendiendo inversiones para becas?... Sí… Bueno, ese hombre se convirtió en un buen amigo, y él me presento con otra persona, que en realidad me presentó con otra persona que influyó mi vida de gran manera. Yo conocí a esa persona gracias a ti. Así que quiero agradecerte por hacer una gran diferencia en mi vida.

Luego le di un abrazo a Jane. Inmediatamente, en ese mismo momento desapareció toda la ira que tenía guardada en mi corazón. Yo ya no era un esclavo del resentimiento.

Hace unos años atrás en un seminario, yo escuché estas frase: *«Mientras estés con vida vas a hacer diferentes tipos de amigos: amigos para una temporada o amigos para toda la vida.»* Yo realmente creo que Dios va a traer a personas claves a nuestra vida para influenciarnos y dirigirnos a lo largo de cierto camino de bondad. Tenemos que ser agradecidos y abrir nuestros ojos para ver lo bueno que todas y cada una de las personas nos traen mientras se cruzan en nuestro camino, independientemente de qué tan pequeño o grande sea el papel que jueguen en nuestra vida.

4.- Todas las **LUCHAS** que has tenido en tu pasado que finalmente has vencido, y las lecciones que has aprendido de éstas. Escríbelas. Al reflexionar y escribir las luchas dolorosas y los retos por los que has atravesado, el propósito no es traer a memoria el dolor que causaron sino mostrarte qué tan victorioso has sido; para probarte a ti mismo que a pesar de todo el dolor y los retos, aun así los atravesaste y los venciste, ¡ganaste la pelea, lo hiciste! Una vez que hayas escrito los retos que has vencido exitosamente en tu pasado, no solamente vas a ganar sabiduría de cada experiencia cuando reflexiones, sino que también vas a ganar un tremendo poder.

En un futuro cuando experimentes nuevas luchas y retos, cuando veas hacia atrás, vas a ver que has enfrentado otras luchas en tu pasado que han sido muy difíciles, o incluso más difíciles de lo que estás atravesando en el presente. Ahora tu pasado será un gran recurso de poder. Te empujará con éxito a través de nuevos retos y luchas que vengan a tu vida. Tu pasado es una prueba de que tienes lo que necesitas para atravesar tiempos difíciles.

Imagínate si tuvieras un libro como éste de tus abuelos, todas las cosas que ellos atravesaron, y todas las cosas que aprendieron de sus tiempos difíciles. «¿Qué tan valioso sería para ti?» Sería como una ventana por la cual podrías verlos a ellos viviendo su vida. Sería más poderoso que un video porque podrías leer sus pensamientos. Qué valioso sería para tus hijos y nietos leer ese libro. Sería uno de los regalos grandiosos que les podrías dar. Tu vida escrita con palabras. Tu legado.

Hace pocos años mi hijo menor leyó una parte de mi libro donde yo había escrito que yo había perdido todos mis negocios y todo mi dinero. Después de leerlo me vio y me preguntó;„*¿Eso realmente te sucedió, papá?...* Por la expresión de su cara yo pude ver que su respeto por mí aumentó tremendamente en unos pocos segundos, solamente al leer esa página.

Cada noche antes de irte a tu cama pregúntate a ti mismo, *¿Hay algo que pueda escribir en mi libro? Qué gran éxito, qué gran experiencia, y qué gente grandiosa vino a mi vida el día de hoy?* Mientras piensas, ten la esperanza y la expectativa de escribir algo cada día, vas a atraer gran éxito, más experiencias grandiosas, y más gente grandiosa a tu vida.

Ahora bien, si estás pensando, yo no tengo éxito como para escribir mi libro. Yo no he conseguido nada especial en mi vida en lo absoluto. ¡Yo soy un perdedor completo! Aunque no te creo, te voy a dar el beneficio de la duda. Así que, asumamos que estás en lo correcto. Aún existe un éxito que puedes escribir en tu libro. Piensa en el tiempo justo antes de nacer. Estuviste en el vientre de tu madre por 9 meses, y en el momento exacto, batallaste, pero saliste con éxito... ¡Escribe eso en tu libro!

Capítulo 18

Administra los eventos, no el tiempo

Si realmente quieres la llave del éxito, comienza por hacer lo opuesto de lo que todo el mundo haciendo.

- Brad Szollos

Si le preguntas a un niño de 12 años, *¿Cuántos años tienes?* existe la posibilidad que te conteste, *Casi 13.*

Un muchacho de 15 años...*Casi 16.*

Un muchacho de 17 años...*Casi 18.*

Un muchacho de 20 años...*Casi 21.*

Sin embargo, yo aun no he conocido una mujer de 39 años que te conteste orgullosamente, *¡Casi 40!*. Tú simplemente no escuchas esa respuesta con frecuencia. La mayoría de los jóvenes que conozco no pueden esperar para ser mayores, pero la mayoría de las personas mayores no quieren decir su edad. Para el mundo exterior los cumpleaños son un motivo de celebración, pero a puerta cerrada la mayoría de las personas mayores están bastante decepcionadas con la manera en que han resultado sus vidas.

Otro año ha pasado. Yo tengo un año más. Cinco años atrás yo tenía todos estos sueños de donde quería estar en la vida y ahora esos cinco años han venido y se han ido, pero nada ha cambiado. Yo trabajo duro. Yo siempre estoy ocupado. Yo soy una buena persona, pero el tiempo se me está yendo. ¿Qué tan fuerte tengo que seguir trabajando¿ ¿Qué tan ocupado tengo que seguir? ¿Cuántos sacrificios tengo que seguir haciendo? Yo no quiero vivir así, pero yo no entiendo por qué mi vida no cambia.

¿Qué se necesita para tener éxito?

Si le das a la gente suficiente tiempo para que descubra las respuestas por sí solos, la mayoría de la gente te va a dar la misma respuesta correcta: *¡Tienes que tener un sueño! Tienes que ser apasionado, comprometido, enfocado, disciplinado, persistente, consistente…* La mayoría de la gente ya sabe lo que se necesita para llegar a tener éxito, pero lo que me confundió por muchos años es el hecho de que mucha gente que tiene éxito en un área no tiene gran éxito en otras áreas de su vida. Si ellos son significativamente exitosos en un área de su vida, obviamente ellos saben lo que se necesita para tener éxito. Entonces, ¿por qué no pueden aplicar los mismos principios de éxito que les sirvieron para tener éxito en un área y los aplican en las otras áreas de su vida? Para mí, eso no tiene sentido. Algunas de las personas que he conocido tienen gran éxito financiero, pero su relación familiar y su salud es un desastre. Algunos tienen fantástica relación familiar, pero están en bancarrota y mal de salud. Algunos incluso confesaban ser muy espirituales, pero tenían una relación familiar terrible y mala salud.

Cuando le preguntamos a alguien que tiene gran éxito en un área de su vida, *¿Por qué no tienes éxito en las demás áreas de tu vida?* ellos nos dan una de las tres posibles respuestas siguientes:

1.- *A mí no me importan las otras áreas de mi vid…* Yo aun no he recibido esta respuesta de nadie, pero todavía existe la posibilidad.

2.- *Para tener gran éxito en un área, tengo que sacrificar las otras áreas de mi vida…* Yo he recibido esta respuesta de muchas personas, sin embargo, yo realmente creo que esta es una verdad falsa. Si te prometen gran recompensa financiera a cambio de tu esfuerzo, pero el precio que tienes que pagar es tu salud y tu familia, ¿seguirías persiguiéndolo? Yo todavía no me he topado con la persona que diga, *Sí.* No importa qué tanto éxito financiero logres, si fracasas miserablemente en las otras áreas de tu vida, eventualmente esas áreas robarán el gozo del éxito que tienes. Tú nunca te vas a sentirte exitoso aunque tal vez parezcas serlo.

El verdadero éxito es ganar progresivamente en TODAS las áreas de tu vida al mismo tiempo. No necesariamente en el mismo nivel, sino al mismo tiempo. Así que tú puedes decir con orgullo que tu relación con tus hijos es mejor hoy de lo que era seis meses atrás. Tu relación con tu cónyuge es mejor hoy de lo que era un año atrás. Tu salud es mejor hoy de lo que era tres meses atrás. Tu vida espiritual es más fuerte de lo que era hace un año. Tus finanzas son mejores de lo que eran dos años atrás. Tu rendimiento en tu trabajo es mejor de lo que era el mes pasado. En cada área de tu vida puedes ver y sentir algo de crecimiento. Cuando eso sucede, el crecimiento en cada área es un conjunto, aunque sea pequeño, que va a empoderarte para lograr más éxito en todas las áreas de tu vida.

3.- Finalmente, la tercera respuesta que nos pueden dar es, lo cual creo que es cierto… *Yo quiero, pero no sé porqué no tengo éxito en todas las otras áreas de mi vida.*

¿Por qué la gente no puede ver? Me tomó muchos años poder averiguar esto. Lo que no podemos ver es a lo que yo llamo, **El principio escondido del éxito**. Permíteme explicarte. Siempre que viajo alrededor del mundo yo escucho a gente hablar de *Manejo de tiempo.* Se asume que si te conviertes en alguien mejor en cuanto al manejo del tiempo, vas a incrementar tus oportunidades de tener éxito. Sin embargo, si buscas en el diccionario la palabra *manejo* te vas a dar cuenta que para poder manejar algo tienes que ser capaz de *manejarlo, alterarlo o dirigirlo para un propósito en particular*. Así que permíteme preguntarte, ¿Puedes manejar el tiempo? ¿Puedes alterar el tiempo? ¿Puedes dirigir el tiempo? ¿Acelerar y desacelerar el tiempo? La respuesta es categóricamente «¡NO!». ¿Entonces por qué todo el mundo habla de «Manejo de tiempo» cuando ni siquiera existe? Al igual que los loros, nosotros seguimos repitiendo la misma frase sin poner atención a lo que estamos diciendo.

No hay tal cosa como *manejo de tiempo*. Solamente existe *manejo de eventos*. Tú solamente puedes manejar los eventos que llevas a cabo en el tiempo que ya existe. Un evento es cualquier cosa que haces que toma tiempo, como sacar la basura, sacar tu perro a caminar o ir al trabajo.

El principio escondido del éxito:

Todos los eventos son, ya sea basados en el presente o basados en el futuro. Los eventos basados en el presente te mantendrán en el presente. Los eventos basados en el futuro van a hacer que tu vida cambie. Si puedes determinar cuáles eventos son basados en el presente y cuáles son basados en el futuro, tú puedes cambiar tu vida.

Déjame darte algunos ejemplos para profundizar tu compresión de esta filosofía.

1.- Una casa impecable

Digamos que te encante limpiar tu casa y pasas muchas horas al día limpiándola. Tú tienes que entender, no importa cuánto tiempo pases limpiando tu casa y no importa que tan buen trabajo hagas, eso no va a hacer que te mudes a una mansión. Limpiar tu casa es un evento basado en el presente.

2.- Éxito en los negocios

En la Industria de Mercadeo de Redes, si le preguntas a cualquiera de los que ha logrado llegar al nivel más alto qué debes hacer tú para convertirte en alguien exitoso, todos ellos van a decir lo mismo. Además de comprar y vender productos, tienes que hacer cinco cosas: escuchar CDs, leer libros, relacionarte con los líderes, contactar nuevos prospectos y mostrar el plan de negocios.

De los cinco, solamente uno es un evento basado en el futuro, todos los demás son basados en el presente. Siempre existe UN verdadero evento basado en el futuro en que se necesita hacer para alcanzar cierta meta en particular en cada grupo de eventos.

¿Cómo identificamos qué eventos son basados en el futuro?

Tú puedes identificarlo mediante la separación de cada evento y preguntándote a ti mismo, *¿Existe la posibilidad de lograr mi meta si hago solamente este evento?*

Bueno, veamos...si escuchas cinco CDs cada día, todos los días, pero nunca haces lo que los hablantes de los CDs te dicen que hagas, ¿llegarás a ser exitoso? Obviamente que no... así que, *escuchar* CDs es un evento basado en el presente. Si lees cada día, todos los días, los libros que te recomiendan, pero nunca haces lo que te dicen los autores de los libros, llegarás a ser exitoso? Obviamente que no. Leer libros es un evento basado en el presente. Si asistes todos los seminarios y convenciones planeadas por tus líderes, pero nunca haces lo que los oradores recomiendan desde el escenario, ¿vas a llegar a ser exitoso? Por supuesto que no... así que, *reunirte con los líderes* también es un evento basado en el presente.

Si muestras un plan…y luego muestras el plan…y luego muestras el plan…¿vas a lograr tu meta? La mayoría de las personas van a decir, «*Sí*». Hay muchas personas que creen que mostrar el plan es lo más importante que pueden hacer para construir su negocios, pero lo primero que hacen es exactamente lo opuesto. Ellos deciden que no van mostrar el plan hasta que lo hayan aprendido a la perfección; hasta que se convierten en la mejor persona mostrando el plan. Ellos colocan una pizarra blanca y un caballete, media docena de sillas y luego sientan cuidadosamente a los prospectos, su oso de peluche favorito en las sillas y comienzan: *¿Tienes un sueño? Yo te puedo ayudar a que lo logres. ¡Juntos podemos lograrlo! ¡Tú puedes ser libre financieramente!*

Desafortunadamente, no importa qué tan bueno llegues a ser mostrando tu plan de negocios, esos osos de peluche no van a cobrar vida y unirse a tu negocio. El resultado final de mostrar el plan de negocios una y otra vez es que va a llegar el momento en que no tendrás más planes que presentar hasta que contactes prospectos nuevos para mostrarles dicho plan. El acto de mostrar el plan no es un evento basado en el futuro. CONTACTAR PROSPECTOS nuevos es el evento basado en el futuro. Te lo voy a demostrar.

Vamos a asumir que tú no puedes mostrar el plan y en lugar de tratar de aprenderlo y convertirte en un gran presentador, tú aprendes, practicas, y te conviertes en una persona que sabe como contactar prospectos. Luego, de manera consistente contactas a cualquiera que esté a diez pies de distancia de ti. Tú te conviertes en un «fiera» contactando prospectos. Para fin de mes tienes 100 personas interesadas en conocer tu presentación de negocios. Si llamas a uno de los miembros del equipo de tus up-lines y le dices que tienes 100 personas esperando ver el plan y que necesitas ayuda, ¿qué crees que te va a decir? Obviamente se va a emocionar y va a estar dispuesto a hacer la presentación por ti. Después de la presentación, si solamente 6 ó 10 personas deciden inscribirse y construyen seriamente su negocio, ¿vas a tener éxito? Por supuesto que sí. Esto prueba que contactar es el evento basado en el futuro.

3.- Convertirse en un estudiante con calificaciones 90-100

Después de reprobar los exámenes finales del año escolar, un muchacho de 14 años le promete a sus padres que va a estudiar tres horas diarias después de la escuela para mejorar sus calificaciones. Sus padres, después de escuchar su promesa, se llenan de esperanza y sienten orgullo. *¡Qué buen muchacho! El próximo año sus calificaciones serán mucho mejor porque él tiene la determinación de estudiar duro.*

En el primer día de su meta nueva, después de llegar a casa, el muchacho sube las gradas y va directamente a su cuarto decidido a estudiar por tres horas. Él agarra su mochila, la pone en su cama y comienza a vaciarla. Cada vez que él saca algo de su mochila parece llamar su atención por unos momentos. Yo estoy seguro que detrás de cada cosa hay una historia…

Una botella de agua… *Está llena. Yo pensé que me había tomado casi toda la botella.*

La mitad de su sándwich… *Ah, se me olvidó comerme el resto, me pregunto porqué.*

Otra botella de agua… *Aquí está. Yo no sabía que tenía 2 botellas de agua.*

Un banano negro… *¡Qué asco! ¿Por cuánto tiempo ha estado esto en mi bolsa?*

Otra botella de agua… *No por gusto mi bolsa estaba tan pesada.*

Un pedazo de papel arrugado… *Me pregunto, ¿qué es esto?*

Veinte minutos después, finalmente vacía el contenido de su bolsa sobre la cama. Qué desorden. Él junta los libros que necesita y los lleva a su escritorio. Cuando pone sus libros sobre el escritorio, él ve de reojo que la puerta de su closet está abierta. Eso provoca un pensamiento, *¿Me pregunto qué debería ponerme mañana?* Eso es todo lo que necesita, un pensamiento. De repente, su ropa está regada sobre la cama, su escritorio y su silla. Parece como si él tuviera un desfile de modas.

Veinte minutos después, finalmente él ha escogido su ropa para el siguiente día, y por coincidencia, justo en ese momento escucha «ping», es una notificación de Facebook. Él acaba de recibir una notificación de un amigo. Seguramente es demasiada urgente y debe de revisarla inmediatamente. Al mirar su notificación también se distrae con todas las fotos. Veinte minutos después él se obliga a sí mismo a dejar de ver la infinidad de fotos. Luego alcanza su carpeta de estudio que contiene todos los apuntes de su último proyecto. Mientras da vuelta a las páginas se da cuenta que su escritura es un desorden y decide escribir de nuevo algunos de sus apuntes.

Finalmente, un rato después, toma uno de sus libros de texto y comienza a estudiar el contenido real que él supuestamente debería de estar estudiando. Veinte minutos después él ve su reloj y se dice a sí mismo con orgullo, *¡Estoy en el camino correcto!... 3 horas.* Este muchacho no tiene la menor idea de lo que está pasando. Él va a seguir fracasando una y otra vez hasta darse cuenta de lo que realmente está pasando. Si él conociera acerca de los eventos basados en el presente y eventos basados en el futuro, su manera de estudiar sería completamente diferente.

Él entraría a su habitación diciéndose a sí mismo, *Eventos basados en el futuro solamente.* Él abriría su mochila y sacaría solamente lo que necesita para estudiar. Él cerraría la puerta de su closet y se diría a sí mismo, *Esto es una trampa. Esto está basado en el presente.* Él apagaría su Facebook diciéndose a sí mismo nuevamente, *Esto es una trampa; está basada en el presente.* Él abriría sus libros de texto y se diría a sí mismo: *¡Esto está basado en el futuro! Esta es la única actividad que va a cambiar mis calificaciones!*

En el transcurso de 5 minutos él estuviera estudiando, y en el camino correcto para lograr mejores calificaciones porque él sabe lo que lo mantiene en el presente, y lo más importante, lo que va a provocar que su vida cambie. Yo sé esto muy bien porque ese muchacho de 14 años fui yo. Yo luché todo el tiempo para enfocarme cuando era adolescente. Yo no aprobé la mayoría de mis exámenes y nunca pude llegar a la universidad porque no me podía enfocar en el estudio. Si hubiera aprendido esta filosofía antes, me hubiera ayudado mucho de muchas maneras.

4.- Salud

Hay mucha gente que quiere estar en forma y saludable. Para poder lograr esta meta, se sabe que se debe hacer las combinación de tres cosas: cambiar la dieta, reducir el tamaño de las comidas y hacer ejercicio. Sin embargo la mayoría de las personas deciden solamente cambiar su dieta y creen que con hacer esto van a lograr su meta. Desafortunadamente, la mayoría de las personas no pueden mantenerse en la dieta, no puede hacerlo porque simplemente les encanta la comida. Están tratando de dejar lo que más les gusta de golpe y para la mayoría de las personas esto no va a funcionar.

El ejercicio es evento del futuro y si enfocamos nuestra energía para desarrollar un programa de ejercicio consistente, nosotros podemos comer lo que queramos. No tenemos que pelear con todas esas comidas que nos encantan. Te lo voy a demostrar. Yo tengo el mejor programa de ejercicios que hayas visto en tu vida, si te encanta la comida, te va a encantar este programa.

Te permite comer todo lo que quieras, incluso muchas comidas grasosas, comidas extremadamente deliciosas que puedas imaginar. Lo primero que tienes que hacer es preparar el plato que más te guste. La clase de comida que sabes que no deberías comer. El banquete menos saludable que sabe riquísimo. Quizás sea slab cake o tocino con la orilla jugosa y tostada con una pulgada de grasa; o papas al horno cubiertas con queso cheddar nadando en crema; o alitas de pollo con el pellejo, tostadas y envueltas en harina y cubiertas de salsa búfalo con una taza de aderezo ranch para sumergirlas; o un Big Mac con papas fritas y Coca-Cola; o pizza con triple queso y doble pan, salsa con doble queso para sumergirla y un batido de fresa espeso. Sea lo que sea, prepárate para disfrutarlo justo después de tu programa de ejercicios. ¿No parece demasiado bueno para ser verdad...como que si te hubieras muerto e ido a tu restaurante favorito en el cielo?

Una vez que tengas tu comida lista, ponla sobre la mesa con un abanico soplando suavemente sobre ésta, para poder oler el aroma delicioso en el otro lado de la habitación donde estás haciendo ejercicios. Luego ponte tu pantaloneta y tu playera y comienza tu programa de ejercicio de 15 minutos... lagartijas, sentadillas, trotar en el mismo lugar, por un total de 15 minutos. Al final de los quince minutos, mientras jadeas ligeramente, cuidadosamente camina hacia tu plato de comida favorito y disfrútalo! ¿No fue eso gratificante y sin dolor? Continua con este programa de 15 minutos de ejercicio cada dos días, por una semanas.

La siguiente semana, cocina tu plato favorito nuevamente, colócalo sobre la mesa, enciende el ventilador, ponte tu pantaloneta y tu playera y comienza tu programa de ejercicios. Pero esta vez, tienes que hacerlo por 20 minutos. Lagartijas, sentadillas, trotar en el mismo lugar. Después de 20 minutos vas a estar jadeando bastante, y finalmente una gota de sudor va a escapar de tus poros en tu frente y caerá lentamente sobre tu rostro. Mientras jadeas y tratas de respirar, lentamente vas a caminar hacia el plato de tu comida favorita y lo vas a disfrutar. Sin embargo, esta vez, aunque estarás disfrutando tu plato de comida, por alguna extraña razón vas a comenzar a sentir un sentimiento de culpabilidad, pero no sabes cómo y de dónde proviene ese sentimiento. Después de echarte un par de bocados, pierdes el apetito y solamente puedes comer la mitad. Algo misterioso comienza a suceder en tu cuerpo. Sigue haciendo esta rutina de 20 minutos de ejercicio un día sí, un día no, por una semana.

Ahora es inicio de la tercera semana. Prepara tu comida nuevamente, colócala sobre la mesa, enciende el ventilador, ponte tu pantaloneta y tu playera y comienza tu programa de ejercicios. Esta semana tienes que hacerlo por 30 minutos. Lagartijas, sentadillas, trotar en el mismo lugar, y después de 30 minutos vas a jadear como perro en un día calurosos de verano. ¡El sudor va a bajar por tu rostro como si fuera una mini-cascada! Tu corazón va a latir tan rápido y tan fuerte que oirás las vibraciones en tus oídos como una banda de tambores. Mientras tratas de respirar profundamente y más rápido para recuperar el aliento, el único oxigeno que obtienes es el aroma de tu comida llena de grasa bajando por tus pulmones y tratando de sofocarte. Mientras te acercas más y más a tu comida, se vuelve más y más difícil respirar. Cuando llegas ahí, estando inclinado sobre tu comida, escuchas un grito en tus oídos, justo como el grito que escuchaste en la película de horror que escuchaste cuando era niño.

¡No te atrevas a ponerlo en tu boca! ¡No te atrevas a poner eso dentro de mí! ¿No sabes lo duro que trabajé? ¡No lo hagas!... Tu cuerpo te suplica que no pongas esa comida asquerosa en tu boca. No la necesita. No la quiere. De repente un impulso violento incontrolable hace que tomes el plato y lo tires a la basura o lo más lejos de ti que puedas... *¡Yo ya no voy a comer esa cochinada!* te gritas a ti mismo.

¡Felicidades! Estás en la dirección correcta para tener un cuerpo en forma y más saludable. Cuando enfocas tu esfuerzo en un programa de ejercicios consistente, el cual es evento basado en el futuro, ya no tienes luchas contra los impulsos de comer tu comida favorita solamente con tu mente, tu cuerpo va a asumir el liderazgo.

5.- Familia

Estoy seguro que todos los padres primerizos se dicen a sí mismos, *Yo quiero tener una familia maravillosa.* Yo dije lo mismo. A medida que mis hijos iban creciendo, yo quería asegurarme de tener una buena relación con cada uno de ellos. Cada domingo mi esposa y yo los llevábamos a algún lugar y pasábamos tiempo divirtiéndonos y tratando de construir lazos familiares. Años después, cuando mis hijos crecieron, después de muchos «días familiares», yo me sentía como si hubiera estado perdiendo a mis hijos. La cercanía ya no estaba ahí. Fue ahí donde me di cuenta que los «días de familia», no eran eventos basados en el futuro que iban a mantener a la familia unida.

Si un adolescente tiene un problema personal, ella o él no va a tocar el tema en un día familiar frente a todos los demás muchachos. Ellos lo van a mantener dentro de ellos y lo van a compartir con cualquier otra persona, menos con sus padres, alguien que haga el tiempo para ellos personalmente. Las tasas más altas de suicidio son entre las edades de 15 a 24. Esta es la edad cuando los jóvenes comienzan a darse cuenta que todos los retos de la vida pueden llegar a ser bastante abrumadores, especialmente si no tienen un grupo correcto de apoyo. Desafortunadamente, muchos padres no solamente no apartan tiempo para sus hijos en lo personal, sino que muchos no saben cómo construir estas relaciones porque sus padres nunca les pusieron el ejemplo.

Así que, ¿cuál es el evento basado en el futuro para construir familias estupendas?

En la Industria de Mercadeo de Redes, cuando un dueño de negocios independiente quiere mostrar su plan de mercadeo a un nuevo prospecto, lo primero que hace es hacer una cita. La mayoría de veces es uno-a-uno con un individuo o una pareja. Al reunirse, se hace cualquier esfuerzo para eliminar alguna distracción potencial durante la reunión: mascotas, niños pequeños, teléfonos, televisores. Una vez que el ambiente está preparado, el dueño del negocio comienza su su presentación. Durante toda la presentación, el dueño de negocios pone mucha atención y escucha en todo momento a las necesidades y preocupaciones del prospecto, mientras que derrama todo su corazón en un esfuerzo por tener una conexión.

Esta es exactamente la manera como construyes excelentes relaciones, y a su vez una gran familia. Tu estableces citas uno-a-uno con cada miembro de la familia. Con cada hijo, cada hija, cada abuelo, y cada cónyuge. Tú haces citas con todas y cada una de las personas que forman tu familia, y que tú dices que te importan y que amas. El objetivo de cada cita debe ser enfocarse profundamente en la conversación. Las conversaciones superficiales no tienen poder para hacer una conexión de corazón-a-corazón.

¿Cómo te fue en la escuela?... Bien.

¿Cómo vas con tus tareas?... Bien.

¿Cómo te trata la vida?... Bien.

¡Qué bien!

Esta fue una conversación típica que yo tenía con mis hijos cuando ellos eran más jóvenes. No hay profundidad o poder de conexión en este diálogo. Cuando finalmente me di cuenta que necesitaba hacer citas para construir la relación con mi familia, yo le dije a mi hijo mayor, que en ese tiempo tenía 16 años, *Yo quiero hacer una cita contigo para el domingo a las 3:00pm...*

¿Qué?

Necesitamos hablar, ponlo en tu calendario. Domingo a las 3:00pm en tu habitación.

Está bien. Mi hijo tenía una expresión extraña en su rostro, llena de curiosidad vacilante.

Llegó el domingo; yo fui a su habitación y la cita inició. Yo le dije a mi hijo que aunque yo era su padre y que era mucho mayor que él, no hacía mucho de aquel entonces cuando yo tenía dieciséis años, al igual que él en ese entonces. Y que cuando yo tenía 16 años tenía los mismos pensamientos que él tenía en su mente en el presente. Yo le dije que yo sabía exactamente lo que él estaba pensando porque «yo había estado en sus zapatos». Luego comencé a contarle un poco acerca de mi mis días de juventud. Yo podía ver que él estaba muy interesado por la manera ansiosa en que estaba escuchando cada palabra. Era como si yo le hubiera estado contando secretos de mi pasado.

A todos nos gusta escuchar secretos. Yo seguí hablando y él siguió escuchando. Luego le conté acerca de todas las cosas estúpidas que pensé hacer cuando tenía su edad, y fue ahí donde se quedó con la boca abierta. Espero que él haya estado pensando, *¡mi padre es igual que yo, él entiende!* Los treinta minutos se habían terminado… *Se nos terminó el tiempo, son las 3:30pm. Podemos continuar el siguiente domingo a la misma hora.*

Llegó el siguiente domingo. Yo fui a su habitación y continué hablando del tema desde donde había dejado el anterior domingo. Después de más o menos cinco minutos, mi hijo comenzó a hablar… y hablar… y hablar. Él no se callaba. Él comenzó a contarme acerca de las cosas estúpidas que él estaba pensando hacer en ese tiempo, fue cuando me quedé que con boca abierta.

Entre más citas teníamos, más cercana era nuestra relación. Yo podía darme cuenta que nos estábamos conectando. Las conversaciones se estaba profundizando más y más. Pocas semanas después yo estaba en la ventana esperando ver que mi hijo llegara de la escuela. Cuando lo vi, yo me di cuenta que él se estaba acercando a la puerta de nuestra casa con uno amigo suyo. Yo esperaba que entrara inmediatamente, pero él no lo hizo. Él se quedó parado afuera platicando por largo rato. Cuando finalmente entró, yo le pregunté que qué estaba haciendo afuera. Él me dijo que su amigo no tenía padre y que le estaba contando acerca de nuestras citas. Después que hizo esto, el amigo tenía unas preguntas y mi hijo le estaba ayudando a encontrar respuestas. Cuando yo escuché esto, yo estuve seguro que planear esas citas era definitivamente un evento basado en el futuro para construir una gran familia… ¡esta era la prueba!

6.- Crecimiento espiritual

Mucha gente dice que quiere crecer espiritualmente, pero no sabe cómo hacerlo. Existen tres cosas que nos van a ayudar a crecer espiritualmente: leer las Escrituras, ir a un lugar donde alaban y oran. Sin embargo, solamente una es un evento basado en el futuro.

Si vamos a un lugar de adoración y leemos las Escrituras, vamos a crecer de manera intelectual. Nuestra mente va a incremente en conocimiento. Sin embargo, la única manera en que podemos crecer espiritualmente es hacer crecer tu corazón y esto se hace con oración constante. La oración es la inteligencia del corazón. Leer las Escrituras y asistir un lugar de adoración te va a enseñar cómo orar de manera más efectiva, pero solamente la oración te va a conectar con el corazón de tu Padre Celestial. Esta conexión es lo que hace crecer tu corazón.

Capítulo 19

Aplicación práctica del manejo de eventos

«Uno de los peores usos del tiempo es hacer algo bien hecho, que no se necesita hacer del todo.»

- Brian Tracy

Ahora que tenemos una idea más profunda de los eventos basado en el presente y los eventos basados en el futuro, ¿qué debemos de hacer enseguida? ¿Cómo podemos aplicar esta filosofía en nuestra vida?

El primer paso es hacer una lista de todas y cada una de las cosas que hacemos diaria, semanal, y mensualmente. Sea lo que sea, todo lo que toma tiempo tenemos que ponerlo en la lista. Segundo, tenemos que identificar y encerrar en un círculo todos los eventos basados en el futuro. Tercero, en nuestro calendario debemos bloquear todas las horas de los eventos fijos que no podemos cambiar. Por ejemplo, si trabajamos de 9 a 5, tenemos que bloquear ese espacio de tiempo porque no podemos ajustarlo para otras cosas. Una vez que hayamos hecho esto, podremos ver todas las horas y espacios flexibles que nos quedan disponibles para poner nuestros eventos. Cuarto, ahora podemos poner todos nuestros eventos basados en el futuro en nuestro calendario y fijar nuestros eventos. Esto quiere decir que debemos asignar una hora específica para cada evento basado en el futuro que no podemos cambiar. Algunos de estos eventos van a ser diarios, algunos van a ser semanales y otros mensuales, según sean tus objetivos. La clave para recordar cuando estamos planeando nuestro calendario es…

¡SIEMPRE PON PRIMERO, LO QUE CREA TU FUTURO...Y LUEGO ARREGLALO!

Por último, ingresa todos los eventos basados en el presente en las horas que quedan disponibles. Si seguimos el orden que se explica arriba al ingresar nuestros eventos, está garantizado que nuestra vida va a cambiar, porque estamos haciendo exactamente lo que provoca que nuestra vida cambie. Mucha gente dirá: *Ya hice una lista de las cosas que necesito hacer todos los días, así que, cuál es la diferencia entre hacer una lista y hacer lo que dice arriba?* Cuando haces una lista, todos los eventos están «flotando». No existe un compromiso a una hora en particular, y lo más importante, el orden en el cual hacemos los eventos... somos propensos a postergar. Al final del día, la mayoría de la gente va a tener ciertos eventos que quedan por hacer y los van a mover para el siguiente día. Al final del día siguiente, de nuevo van a haber eventos que no se llevaron a cabo, y nuevamente se van a postergar para el siguiente día...y así sucesivamente.

Si revisas cuidadosamente los eventos que sigues postergando para el día siguiente, lo más probable es que vas a descubrir que esos son eventos basados en el futuro. Los eventos que van a causar que tu vida cambie son justamente los eventos que no estás haciendo, y 5 años después, la mayoría de la gente se preguntará con asombro, *¿Por qué mi vida no está cambiando? Yo hice esto por años. Yo siempre hice una lista, y luego me encontré a mí mismo postergando sin estar consciente que lo estaba haciendo.* Pero, ¿por qué postergamos?

Cuando el agua corre, ¿qué camino toma? El agua siempre toma el camino de menos resistencia. Nunca vas a encontrar agua haciendo algo difícil, como yendo cuesta arriba. ¿Qué cantidad de agua hay en el cuerpo humano? Digamos que 70%. Pues bien, si somos 70% agua, cuando hacemos la lista de cosas que tenemos que hacer, 70% del tiempo nos vamos comportar como el agua, también nosotros vamos a tomar el camino de menos resistencia.

Unos años atrás, yo recuerdo esto muy claramente, yo estaba en mi oficina. Como ya les dije, tenía fotos de mis sueños colgadas en toda la pared. Yo tenía un cartapacio con más fotos de mis sueños bellos sobre mi escritorio. Yo tenía todos esos sueños, pero aun así no podía hacer las cosas claves que necesitaba hacer para lograr mis metas. Yo no podía dejar de postergar, especialmente cuando se trataba de tomar el teléfono y hacer llamadas a contactos potenciales para mi negocio. Yo simplemente no podía levantar el teléfono consistentemente. Era como si hubiera algo dentro de mí que me estaba tratando de detener de hacer justamente las cosas que iban a provocar que lograra mis objetivos y que cambiara mi vida. Esta cosa dentro de mí se sentía como una enfermedad manipuladora y debilitante. Si tan sólo la hubiera podido ver, hubiera encontrado la manera de destruirla, o por lo menos sacarla de mi interior. En un intento para entenderla mejor, yo desarrollé una definición de lo que yo creo que es la postergación…

La postergación es una enfermedad invisible que se apodera de un talento individual con un gran potencial y poco a poco, conforme el tiempo, vuelve a la persona lenta, en un fracaso total y absoluto.

En este día en particular, yo estaba luchando bastante para levantar el teléfono; yo me imaginé a la enfermedad como un hombre pequeño y verde con dientes grandes. Él estaba parado detrás de mí contra la pared trasera de mi oficina. Él comenzó a hablarme.

Ey Terry, has trabajado duro todo el día. Sabes que hay una cama bella y calientita en la otra habitación. ¿Por qué no haces una siesta de 10 minutos, y después vas a tener la energía que se necesitas para hacer todas las llamadas? Ey Terry, ¿escuchas a tus hijos en el primer piso? Ellos te extrañan. Vamos, sé un buen padre y ve abajo y pasa tiempo con ellos... Ey Terry, ¿escuchas ese ruido? Es la televisión. Tu programa de televisión favorito, «Everybody Loves Raymond» está al aire. Ve abajo y míralo antes de que se termine. Tú sabes cómo te hace reír...Ey Terry, ¿escuchaste ese ruido? Es tu estómago haciendo ruido. Corre, ve abajo y come algo antes de que te mueras de hambre.

Este pequeño hombrecito verde seguía «ladrando», *¡Yap! ¡Yap! ¡Yap!*, ¡me estaba volviendo loco!... Yo le gritaba, *¡Cállate y déjame en paz!* Después de ser bombardeado por una palabrería manipuladora, finalmente me levantaba y me dirigía hacia la puerta. Cuando cerraba la puerta y me dirigía hacia afuera a hacer lo que me sentía atraído, yo podía escuchar su risa perversa, *¡Ja ja ja! Te tengo de nuevo.*

Yo tenía que hacer a esta enfermedad, este hombrecito verde, tan real como fuera posible. Era la única manera que yo podía vencer la enfermedad de postergar. Este hombrecito verde, como una vil enfermedad, tenía un propósito específico. Su objetivo era destruir mi futuro, pero él sabía que no podía venir a mí corriendo de frente porque lo hubiera parado en su ataque. En lugar de eso, él atacaba de forma discreta. Yo, no solamente estaba inconsciente de lo que él estaba tratando de hacer, sino que yo ni supe de su existencia hasta años después.

Pasos pequeños. Distracciones pequeñas. Un empujoncito cada día. Un pequeña distracción todos los días para sacarme de mi camino. *¡Ve y juega con tus hijos!...¡Ve a comer algo!...¡Estás cansado, toma un descanso!* ¡Cada semana! Cada mes! Distracciones mes tras mes. Distracciones año tras año. 3 años, 5 años, 10 años, y finalmente él se paraba victorioso y se declaraba a sí mismo, *¡Lo logré! ¡Misión cumplida! ¡He destruido tu futuro completamente!*

Capítulo 20

El poder para vencer la postergación

Postergar es como una tarjeta de crédito: es muy divertida hasta que te llega la factura.

- Christopher Parker

¿De dónde sacas el poder y la confianza para vencer el hábito de postergar, y vencer a ese hombrecito verde? Existen tres fuentes principales de poder:

1.- Mentalidad

Programa tu mente para que te ayude a pelear contra el hábito de postergar. Repítete a ti mismo una y otra vez…

«¡YO SIEMPRE HAGO PRIMERO LO QUE CREA MI FUTURO!»

Cuando llenas tu mente con estas declaraciones, estarás recordándote a ti mismo de mantenerte en el camino. Habrán muchas veces cuando sientas la tentación de hacer algo que no deberías estar haciendo, y en ese mismo momento, cuando estés a punto de hacerlo, vas a escuchar en tu cabeza, «¡Haz siempre primero lo que crea tu futuro!» Si esa voz es lo suficientemente fuerte, de tanta repetición, va a provocar que dejes lo que estás haciendo, y hacer lo que deberías estar haciendo.

2.- Consecuencia

Después de regresar a casa de un seminario poderoso de motivación, Peter se sentó silenciosamente en la orilla de su cama. Él estaba pensando acerca de lo que acababa de experimentar. Él estaba realmente conmovido... *Ya basta, es hora de llevar mi negocio al siguiente nivel. No más juegos. Voy a empezar a hacer llamadas a algunos de mis prospectos mañana a las 8pm. ¡Voy a llegar a ser Diamante!* Peter realmente creyó que su vida estaba a punto de cambiar.

Aunque no había nadie en la habitación cuando con Peter tomó la decisión de comenzar a construir su negocio seriamente, había alguien escuchando. El hombrecito verde como hermano mayor, el DUENDE. El único propósito de su existencia es grabar todas y cada una de las promesas que una persona hace y ver si se rompe o no la promesa. Ese DUENDE guarda los resultados de nuestras promesas en nuestro inconsciente.

Cuando Peter se dijo a sí mismo, *Mañana voy a llamar a mis prospectos,* el DUENDE tomó nota de eso. *¡Ánimo! Has prometido que mañana a las 8:00pm va a comenzar a llamar a tus prospectos.*

La mañana siguiente al despertar, cuando Peter hace las sábanas a un lado y se pone de pie, el DUENDE viene corriendo; él salta sobre la espalada de Peter, pone sus manos alrededor de su cuello y envuelve sus piernas alrededor de su cintura. Luego le recuerda a Peter de la promesa que hizo la noche anterior... *¡No se te olvide que dijiste que ibas a hacer tus llamadas por teléfono hoy a las 8:00pm, porque vas a llegar al nivel de Diamante!*

En la tarde, Peter comienza a sentirse cansado. Él piensa que es debido a todo el trabajo que ha hecho, pero esa no es la razón. Él ha estado cargando al duende sobre su espalda todo el día. El duende le ha estado recordando constantemente la promesa que hizo.

Cuando Peter se va a su casa esa noche se siente muy ansioso. Parece como que el reloj está caminando más rápido de lo normal. De repente dan las 7:45pm. Peter está muy nervioso. *Debe haber algo mucho más importante que debo hacer ahora mismo* piensa él... *Debe de haber algo»*... son las 7:59pm... *¡Sí, tengo que ayudar a los chicos con sus tareas!* Él se siente muy aliviado cuando por sí solo se le viene a la cabeza ese gran descubrimiento.

Cuando Peter intenta ayudar a su hijos con su tarea, ellos le preguntan, *¿Papá, qué estás haciendo?... Les voy a ayudar con su tarea.... Nosotros no necesitamos ayuda.... ¡Bien la necesitan, claro que sí!* Cuando Peter se sienta con sus hijos, él comienza a sentir una tremenda sensación nauseabunda en su estómago. Él sabe que no debería estar ahí, él debería estar haciendo llamadas telefónicas. Él sigue mirando su reloj. Ya son las 8:45pm. La culpabilidad sigue remolineando en su interior, 15 minutos más con esta agonía, se dice a sí mismo. Su corazón sigue acelerando mientras un sudor frío toma control de su cuerpo. Finalmente, su reloj muestra las 9:00pm y Peter deja escapar un gran suspiro de alivio, *Aaahhhhh, aunque hubiera querido hacer llamadas, ahora ya es muy tarde. Definitivamente voy a hacer mis llamadas telefónicas mañana a la 8:00pm, porque yo voy a ascender al nivel de Diamante!*

Peter se convence a sí mismo que está bien comenzar de nuevo después de no haber logrado una meta. *Todo lo que tienes que hacer es reiniciar y comenzar de nuevo,* se dice a sí mismo. Más tarde esa noche él decide ir a la cama. Cuando pone su pierna izquierda bajo las sábanas, la otra pierna también se pone bajo las sábanas, pero no es la suya. Luego pone la pierna derecha bajo las sábanas, y también otra pierna se mete bajo las sábanas de nuevo. Son las piernas del DUENDE. Él todavía está sobre la espalda de Peter. El

DUENDE va a dormir con Peter esa noche. Él representa la culpabilidad que Peter siente por no haber cumplido con su palabra.

Cuando Peter se da la vuelta, el DUENDE se da la vuelta con él. Él todavía tiene a Peter sujetado del cuello y de la cintura. Toda la noche le recuerda a Peter de las promesas que no cumplió: *¡Dijiste que ibas a hacer llamadas telefónicas y no lo hiciste! Dijiste que ibas a construir tu negocio e ibas a llevar a tus hijos a Disney World. Tú le dijiste a tu esposa que la ibas a liberarla de su trabajo. Tú le dijiste a tus líderes de tu up-line que ibas a mostrar el plan cinco veces por semana.* Durante toda la noche el DUENDE apuñala a Peter con dolores de la promesa que no cumplió.

Pocos meses después asiste a otro seminario poderoso de negocios. Después del evento del sábado por la noche él se va a su cuarto de hotel. Cuando entra a su cuarto él se siente empoderado. Él se susurra a sí mismo de manera silenciosa, *¡Ahora sí voy a llegar a ser Diamante!*. De repente, en lo más profundo de Peter, él siente un rugido acumulándose en su cuerpo. Es como si un temblor estuviera sucediendo en su interior. Una explosión estruendosa ocurre en sus oídos. Su DUENDE grita…

¡Tú nunca vas a ser Diamante! ¡Eres un mentiroso! ¡Eres falso! ¡No tienes integridad! ¡Cada promesa que haces, todo lo que dices que vas a hacer, nunca lo haces! ¡Nunca cumples tu palabra! ¡Tú jamás llegarás a ser Diamante!

El DUENDE simplemente gritó la verdad. Cada palabra incumplida, cada promesa rota que Peter causó estaba guardada en el inconsciente de Peter. Cuando Peter escuchó los pasos desalentadores de su trayectoria, ésta chupó toda la energía de su decisión de construir su negocio, y en un instante el poder que había recibido del seminario fue remplazado por completo por la duda. Si Peter hubiera estado consciente de que todas sus promesas, las que cumplió y las que no cumplió, iban a estar guardadas en su inconsciente e iban a ser usadas en su contra o a su favor en un futuro, yo estoy seguro de que hubiera tenido mucho cuidado de cumplir su palabra. Si cada vez que Peter decía que iba a hacer algo, él lo hubiera hecho, los resultados hubieran sido completamente diferentes en el cuarto del hotel después del seminario.

Durante los meses siguientes, Peter comenzó a darse cuenta donde estaba mal. Él se hizo una promesa a sí mismo de no faltar a su palabra otra vez. Él estaba decidido a cumplir sus promesas. Si él decía que iba a hacer algo, él se aseguraba de hacerlo.

Un año después, Peter asistió a otro seminario poderoso de negocios. Después del evento del sábado por la noche él se fue a su cuarto de hotel. Cuando él entró a su cuarto se sintió empoderado. Él se susurró a sí mismo silenciosamente, *¡Ahora sí, yo voy a convertirme en Diamante!* De repente, Pete sintió un rugido en su interior. Era como si estuviera sucediendo un temblor dentro de sí. Luego la explosión estruendosa en sus oídos. Su DUENDE lo estaba animando…

¡Sí, tú vas a llegar a ser un Diamante porque siempre cumples tu promesa! Cualquier cosa que dices que vas a hacer, tú la haces, siempre! ¡Cada vez que prometes algo, siempre lo cumples. ¡Siempre cumples con tu palabra! ¡Vas a ser un Diamante!

Nuevamente, el DUENDE simplemente gritó la verdad, pero esta vez él apoyó la meta del Peter. Fue algo que le dio poder. En cuestión de segundos Peter pasó de estar súper emocionado a *¡Está hecho!* Él sabía muy dentro de sí, que así era. Él estaba a punto de convertirse en Diamante.

3.- MOTIVACIÓN ESPITITUAL

La forma más poderosa de motivación no viene de un libro, CD o video. Viene de una constante asociación con la fuente de poder. La fuente de poder es la gente que ha logrado lo que tú quieres lograr. La gente que vive de la manera que tú quieres vivir, que ha hecho lo que tú quieres hacer. Cuando te pones a ti mismo en este ambiente único de poder, estás propenso a ser afectado en la manera más poderosa.

Cuando te asocias con líderes de tu ámbito en los seminarios y convenciones que están diseñadas para empoderar a los líderes del futuro, todos tus sentidos serán bombardeados y estimulados al mismo tiempo. Vas a ver el éxito, vas a escuchar la sabiduría, vas a probar la emoción y vas a sentir el poder y la pasión. Cuando todos tus sentidos están siendo estimulados de manera simultanea tu alma va a ser «movida». Algo mágico que no vas á poder describir va a suceder dentro de ti, casi como un interruptor encendiéndose dentro de ti. Ya no vas a ser la misma persona. Cuando se enciende el interruptor dentro de ti, cosas grandes te van a suceder.

1.- Convicción total

Tarde o temprano, en una de estas convenciones, algo poderoso sucederá en tu interior. No vas a poder explicárselo a nadie, pero vas a salir de ahí con un sentido de creencia sin precedentes. Tú lo vas a sentir muy en el fondo de tu interior, y vas a saber que esto es lo mejor que podrías estar haciendo en tu vida. Dondequiera que vayas, quienquiera que encuentres, la convicción que tienes en el fondo de tu interior va a irradiar de tu interior por medio de tu mirada, y como un imán vas a comenzar a atraer gente hacia ti.

La gente solamente sigue a esos que tienen gran convicción.

La gente siempre está buscando líderes, alguien que los guie hacia mejor vida. Si realmente crees en lo que estás haciendo y lo que representa, la gente te va a seguir.

2.- Poder de confianza total

Cuando tu interruptor interno se enciende, vas a ser empoderado por completo con poder y confianza para vencer cualquier obstáculo que se atraviese en tu camino. Todo va a comenzar a parecer conveniente... *¿Manejar cinco horas? No es cosa del otro mundo; voy a escuchar 5 CDs mientras llego a mi destino.*

Tú vas a comenzar a ver tu meta con un foco laser como un animal en caza. Nadie va a poder impedir que alcances tus metas, especialmente en hombrecito verde... él se habrá ido para siempre.

Capítulo 21

El tesoro escondido

Por alguna razón, es difícil saber qué pasa con las horas que restan después de dormir ocho y trabajar ocho.

- Doug Larsen

Muchas personas piensan que el objetivo de planear es hacer un seguimiento a sus citas. Esta es la razón obvia del porqué la mayoría de las personas tienen una agenda de planeamiento, pero esa no debería ser la razón más importante de tenerla. El verdadero propósito de tener una agenda no tiene nada que ver con el seguimiento de las citas. Tu agenda es una herramienta de autodescubrimiento. Su propósito es mostrarte quién eres, cómo te estás portando y hacia donde te diriges.

En la película, *Jerry McGuire*, hay un famoso dialogo, *¡Show me your money!* (Muéstrame tu dinero). Siempre que escucho a una persona decir, *Yo voy a alcanzar mi meta* o *¡Yo voy a llegar a ser Diamante!*, yo siempre digo, *Muéstrame tu agenda.*

Tu agenda me va a decir cuándo escuchaste tus CD.

Tu agenda me va a decir cuándo leíste tus libros.

Tu agenda me va a decir cuándo oraste.

Tu agenda me va a decir cuándo hiciste tus ejercicios.

Tu agenda me va a decir cuándo pasaste tiempo con tu familia.

Tu agenda me va a decir cuándo hiciste llamadas telefónicas.

Tu agenda me va a decir cuándo mostraste el plan.

Tu agenda me va a decir cuándo hiciste seguimiento.

Tú no tienes que decir nada…

Tu agenda me va a revelar tus verdaderas intenciones.

Tu agenda me va a decir a dónde te diriges.

Tu agenda me va a decir si vas a lograr tu objetivo.

Tu agenda me va a decir si te vas o no a convertir en Diamante.

Si en el parque más cercano a tu casa hay un cofre enterrado con 10 millones de dólares. Este tesoro escondido no tiene valor hasta que lo encuentras. Cuando le echas un vistazo a las páginas de la agenda de una persona, puedes ver todas las cosas que tiene escritas. Sin embargo, lo más importante de cada página de la agenda no es lo que está escrito, sino los espacios en blanco que rodean los eventos. Los espacios en blanco son el tesoro escondido. Sin embargo, éstos no tienen valor hasta que los encuentras. Este tesoro no es más que el *tiempo* mismo. Entre más espacios en blanco puedas ver, más tiempo vas a tener.

Durante una sesión de entrenamiento hace unos años atrás, yo le pregunté mi cliente David si tenía algún pasatiempo que le apasionaba… *¡Pintar! Me encanta pintar. Cuando pinto me siento conectado con la naturaleza. Es como si fuera transportado hacia otro mundo donde puedo ser dios y crear mi propio universo de pintura.* ¡¡Guau!! Yo no me esperaba esa respuesta.

¿Cuándo fue la última vez que pintaste?... 15 años atrás... ¿Qué? ¡15 años! ¿Por qué ha pasado tanto tiempo?... Yo he estado muy ocupado con mi trabajo y ahora no tengo tiempo porque estoy muy ocupado porque voy a llegar a ser Diamante. Cuando sea un Diamante, voy a pintar. David contestó con un tono profundo, agresivo y determinante.

David estaba haciendo lo que he visto hacer a mucha gente, incluyéndome a mí. Él tenía una meta que quería cumplir desesperadamente y sentía que tenía que dejar todo lo que le quitaba tiempo y evitaba que logre su objetivo, sin importar el impacto emocional que esto tuviera sobre él. Es como si él hubiera abierto la puerta de su closet y hubiera puesto sus accesorios de pintura dentro éste...luego su esposa...luego sus hijos. Él puso en el closet todo lo que amaba y cerró la puerta con llave. Luego susurró por medio del ojo de la cerradura, *Regreso cuando sea Diamante.*

David estaba absolutamente decidido a sacrificar todo lo que se interpusiera en su camino y evitara que él lograra su meta, pero él no podía ver un factor muy importante, su conducta. Aunque él estaba decidido a lograr su objetivo, se veía muy miserable. Parecía no tener gozo en su corazón. ¿Quién en su sano juicio va a ser atraído por el comportamiento de David? Todo su negocio se trataba de relacionarse y atraer a la gente, e inconscientemente los estaba alejando. Él dejó lo que le daba alegría, pensando que era un obstáculo. Él no pudo darse cuenta que precisamente lo que le daba felicidad era en realidad una habilidad para atraer a la gente. David no dejó de pintar porque él quería sacrificar el gozo que esta actividad le daba; él dejó de pintar porque él pensó que no tenía tiempo disponible para hacerlo. Cuando miraba su agenda, él solamente veía eventos escritos en las páginas, y no podía ver el tesoro. Él no podía ver los espacios de tiempo que estaban enterrados, pero sin embargo, todavía estaban disponibles.

Cuando David comenzó a darse cuenta que tenía más tiempo disponible de lo que pensaba, su comportamiento cambió. De repente él esperaba con ansias poder pasar tiempo pintando. Su trayecto para llegar a ser Diamante volvió a ser divertido. Él caminaba pensando en entre sí: «Diez días más y podré pintar, no puedo esperar que llegue el momento… 5 días más y podré pintar… mañana podré pintar, «¡Sí!» No pasó mucho tiempo para que el gozo regresara al corazón de David. La gente le preguntaba, *¿De qué estás tan contento?… De que voy a pintar, ¡me encanta pintar!… Ey, a mí también….* El gozo que David comenzó a experimentar mientras perseguía su pasión comenzó de nuevo a atraer gente alegre a su vida; gente con quien él podía compartir la oportunidad del negocio.

A través de los años, yo he conocido a mucha gente dentro de la Industria de Mercadeo que ha hecho lo mismo que David, pero con su familia. Una vez que descubren que pueden construir un negocio y lograr libertad financiera, ellos comienzan a descuidar a su cónyuge y sus hijos con la intención de perseguir sus sueños; y las mismas personas para quienes están construyendo el negocio se convierten en personas negativas como resultado del descuido. Una vez que la persona descubre cómo desenterrar el tesoro en su agenda, ésta se va a dar cuenta que hay tiempo para cada cosa importante en la vida. Si apartas tiempo para tu cónyuge y para tus hijos, no solamente te vas a dar cuenta que hay tiempo suficiente para construir tu negocio y lograr tus metas, sino que ahora tu familia te va a apoyar y aminar de gran manera para que persigas tus sueños.

Una vez que satisfaces sus necesidades, tus hijos te van a empujar hacia la puerta y te gritarán, *¡Papá, ve y conviértete en Diamante!…* En lugar de administrar tu tiempo, si comienzas a administrar y priorizar tus eventos, al igual que yo, vas a llegar a dos conclusiones:

1.- Siempre hay tiempo para cada cosa importante de tu vida.

2.- Puedes lograr el éxito en todas las áreas de tu vida al mismo tiempo.

Capítulo 22

El poder de la mente

Si corriges tu mente, el resto de tu vida se armonizará.

- Lao Tzu

Una vez escuché a un piloto decir que cuando el avión está en el aire, 95% del tiempo está fuera de curso. Los pilotos tienen que repetir una y otra vez el mismo procedimiento para mantenerlo en su curso.

El propósito de la información educativa y motivacional, ya sea en forma de CD, videos, libros o seminarios en vivo, no es solamente aprender cosas nuevas, sino la repetición del contenido que se necesita para mantenernos en el camino.

Un hombre agradecido fue a la iglesia a hacerle una confesión al sacerdote. Él le dijo al sacerdote que había abusado verbalmente a su esposa después de perder el control y que él estaba muy arrepentido y esperaba que Dios lo perdonara. *¡Nunca lo volveré a hacer, lo prometo!* Había pasado solamente una hora y él lo estaba haciendo otra vez.

La mayoría del tiempo, no es la falta de conocimiento lo que finalmente causa que fracasemos, sino la incapacidad de mantenernos en el camino.

¡Yo sé lo que tengo que hacer, yo simplemente no puedo obligarme a mí mismo a hacerlo! ¿Cómo puedo obligarme a mí mismo a hacer lo que necesito hacer?

¿Suena familiar?

El conflicto que enfrentamos es el conflicto entre nuestra

mente y nuestro cuerpo. Nuestra mente sabe lo que tiene que hacer, pero por alguna razón nosotros no podemos hacer que nuestro cuerpo colabore y lo haga. Parece que hay conflicto entre en deseo de nuestra mente y el deseo de nuestro cuerpo. ¿Cómo podemos unirlos y hacer que trabajen juntos?

En referencia el siguiente diagrama…

Nuestro cuerpo es protegido y dirigido por nuestros sentimientos.

Nuestra mente es protegida y dirigida por nuestra consciencia.

Nuestro cuerpo solamente tiene metas egoístas: comer, dormir, reproducir y relajarse.

Nuestra mente tiene metas: servir, no solamente nuestras necesidades sino las necesidades de otros. Sin embargo, solamente puede llevar a cabo estas acciones si logra que el cuerpo haga lo que tiene que hacer.

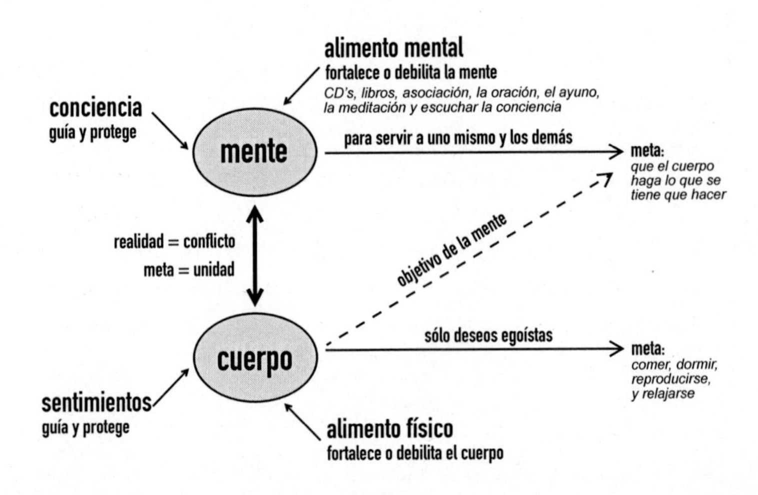

Así que, ¿quién determina quién se queda con la suya?... El que es más fuerte va a controlar al otro.

La comida física que le damos al cuerpo, lo va a fortalecer o lo va a debilitar. La comida mental que damos a la mente, la va a fortalecer o la va a debilitar.

La clave es fortalecer la mente. Entre más fuerte sea tu mente, más control vas a tener sobre tu cuerpo. ¿Pero cómo podemos fortalecer la mente?

CD de charlas positivas, libros y asociación, oración, lectura de la Biblia, meditación, y escuchar a tu consciencia… estos son los alimentos mentales que van a contribuir a desarrollar una mente más fuerte.

En la película *Cinderella Man*, (Hombre cenicienta) hay una escena donde James Braddock, el boxeador, está peleando en el cuadrilátero y su rival es mucho más fuerte que él. Su entrenador sabe que James no tiene posibilidades de vencerlo físicamente porque es mucho más grande y mucho más fuerte. Así que le dice a James: «*Tú tienes que vencerlo de adentro para afuera*»… o sea, la pelea se convierte en una batalla de mentes.

El entrenador sabe que la única manera de ayudar a James es de alguna manera distraer a su contrincante y hacerlo que pierda la concentración. Al hacer esto, debilitará el control que su mente tiene sobre su cuerpo y de esa manera James terminará el trabajo.

Un hombre con una mente fuerte y un cuerpo débil siempre va a vencer a un hombre con un cuerpo fuerte y una mente débil.

La meta final, sin embargo, no es realmente derrotar tu propio cuerpo sino unirlo con tu mente. La UNIDAD de la mente y el cuerpo es la meta final.

MENTE: *Cuerpo, necesitamos hacer ejercicio. Yo sé que estás cansado y quieres ser alimentado, pero esto es importante. Ambos necesitamos trabajar juntos. Necesitamos estar saludables y en forma para llevar a cabo esta misión. Te voy a dar de comer después que terminemos nuestros ejercicios. Vas a estar bien, confía en mí, hagámoslo juntos.*

CUERPO: *Esta bien, yo confío en ti.*

Capítulo 23

Prepárate para ser líder

Si tus acciones crean un legado que inspira a otros a soñar más, aprender más, hacer más y llegar a ser más, entonces eres un líder excelente.

- Dolly Parton

Para poder lograr algo grandioso en este mundo tú necesitas a otras personas, tú no puedes hacerlo solo. La capacidad de influenciar a las personas para que se unan en tu causa, cualquiera que ésta sea, se llama liderazgo. Entre mayor sea tu liderazgo, mayor será el nivel de éxito que logres en tu negocio, en tu trabajo, en tu comunidad y en tu casa.

Existen muchas instituciones que enseña liderazgo. Sin embargo, uno de los lugares más difíciles para ser líder y probablemente el mejor lugar para aprender, entender y practicar el verdadero liderazgo es tu propio hogar, en tu rol de padre. El mismo día que te conviertes en padre, automáticamente heredas el papel de liderazgo y el título de *padre* o *madre* para tu recién nacido. Como padre comienzas con un papel de un líder posicional para tu hijo y lo puedes guiar solamente con tu título. La mayoría de los chicos entre las edades de 3 ó 4 años creen que su padre es un superhéroe. Cualquier cosa que el padre diga, el hijo la cree. Sin embargo, a medida que van creciendo y se vuelven más observadores, ellos comienzan a darse cuenta, *Mi padre no es Superman.* A medida que crecen, ellos comienzan a darse cuenta de todas las debilidades de sus padres. ¿Cómo no? Si todo está frente a sus ojos.

El ambiente del hogar es un lugar muy difícil para dirigir porque este es el mismo lugar donde el padre se quiere relajar, poner sus pies en alto, vestirse de la manera que le dé la gana y cuantas veces quiera, porque nadie de *importancia* lo está mirando y baja la guardia. Ellos tienen la tendencia a ser un poco menos pacientes con los miembros de la familia e incluso perder la calma más fácilmente de lo que lo hacen con un compañero de trabajo. Algunos incluso quizás se descuidan con su vocabulario, simplemente porque piensan que lo pueden hacer. Sin embargo, hay alguien mirando, alguien que es incluso más importante que el compañero de trabajo. Todo lo que haces es un espectáculo para que tus hijos observen y sean jueces.

Cuando una persona tiene en un papel de liderazgo fuera del hogar, la gente que está tratando de dirigir no está siendo influenciada por las debilidades personales de su líder, como es el caso si está viviendo en la casa con ellos. Por lo tanto, liderar es fácil.

A medida que las debilidades de los padres son más expuestas, se vuelve más difícil para ellos liderar solamente con su título. Cuando los hijos se están acercando a los años de adolescencia, para que los padres puedan seguir liderándolos con influencia, ellos deben de aprender el papel de liderazgo en esos momentos. Por experiencia personal, yo me he dado cuenta que hay tres cosas que los padres deben hacer si quieren seguir dirigiendo a sus hijos con influencia.

1.- Tu ejemplo

Cada vez que le pidas a tu hijo que haga algo, mejor si te ve a ti haciéndolo, de otra manera, no solamente vas a perder credibilidad en el área de interés, sino que también puede causar que pierdas tu capacidad de influenciarlos en otras áreas.

2.- Tus habilidades de comunicación

Tú debes de aprender a hablarle a tus hijos de la manera que su personalidad reciba lo que estás comunicando. Para poder hacer que tu hijo responda de mejor manera, quizás sea tan simple como cambiar la manera en que le hablas. Aprender acerca de los diferentes tipos de personalidad de los que habla en su libro *Personality Profiles - D.I.S.C.* de Robert Rohm Ph D, es una buena manera de mejorar tus habilidades de comunicación.

3.- Tu compasión

Tú quizás digas que amas a tu hijo, pero si tu hijo no se siente amado, a él/ella no le importa lo que digas. El amor es el mayor factor de influencia. Tú debes de aprender cómo mostrar amor a tu hijo en una manera única que él se sienta amado. El libro *Los cinco lenguajes del amor* por Gary Chapman, muestra esto de una manera muy bella. ¿Conoces el leguaje de amor de tu hijo?... Palabras de afirmación, tiempo de calidad, recibir regalos, toque físico y actos de servicio. La única prueba de que amas a tu hijo es preguntarle si se siente amado. Si ellos no se sienten amados, realmente no importa lo que tú pienses, ¿o sí?

¿Por qué es importante ser líder?

Tarde o temprano cada uno de nosotros va a seguir y ser influenciado por alguien. Tus hijos van a seguir a alguien. Tus nuevos miembros de equipo van a seguir a alguien. Ya sea que tomes la responsabilidad de ser un buen líder para esas personas, o puedes ceder la responsabilidad y permitir que alguien más provea ese liderazgo, con el riesgo que quizás esa otra u otras personas no sean buenos líderes.

Con frecuencia escuchamos que nos tenemos que preparar para tiempos difíciles, pero como líderes también es importante que nos preparemos para tiempos buenos. Cuando las cosas están saliendo de maravilla, disfruta del éxito, pero ten cuidado de no volverte descuidado y holgazán. Muchos que han logrado el éxito, una vez que han logran un nivel alto de éxito comenten un error muy grave: ellos dejan de hacer las cosas que provocaron el éxito.

Muchos años atrás, yo tenía cierta cantidad de tiendas al por menor. Cuando logré un nivel de éxito y me sentí cómodo, yo me volví haragán y deje de revisar el inventario. Años más tarde, después que esos negocios colapsaron, yo me encontré con una de mis ex-empleadas. Ella me dijo que cuando trabajaba para mí, ella vio que otro de mis empleados robaba cientos de dólares de la caja registradora cada fin de semana. Ella no me pudo decírmelo porque el otro la amenazó con matarla después de que ella se enteró de lo que estaba sucediendo. Aunque él me robó, yo fui quien creó un ambiente para que él me robara. Yo me volví haragán y dejé de revisar el inventario, y él sabía que si tomaba dinero yo no me iba a dar cuenta.

En la Industria de Mercadeo, yo he visto a grandes líderes que han llegado a tener grandes organizaciones de personas y han ganado mucho dinero. De repente, una vez que han llegado a la cima, ellos dejan de leer libros y de escuchar CDs. Ellos arrogantemente asumen la actitud que lo saben todo y comienzan lentamente a salirse del camino sin ni siquiera saber lo están haciendo. Sin la influencia de libros y CDs, ellos pierden el filtro que hay detrás de las palabras que salieron de su boca. Ellos se descuidaron con su discurso, y a partir de ahí todo se fue cuesta abajo.

También he visto que grandes líderes que han ganado millones de dólares en su negocio de Redes de Mercadeo y siguen creciendo después de muchos años, por la simple razón que ellos continúan haciendo las cosas que los llevaron a tener éxito.

En la Industria de Negocios de Mercadeo de Redes existe una frase común, *Si tú haces lo mismo que la gente exitosa ha hecho, tú también vas a lograr gran éxito.* También existe una segunda parte que la mayoría de personas no han escuchado... *Si cometes los mismos errores que cometieron los grandes líderes, y lo que causó que sus imperios de negocios colapsaran, tú también vas a correr con la misma suerte.*

En la película, *Kingdom of Heaven* (El reino de los cielos), Balian estaba siendo nombrado caballero por su padre. Él se iba a convertir en el líder del ejercito de su padre. Cuando él estaba de rodillas, su padre puso una espada en su hombro y comenzó a nombrarlo caballero con el siguiente juramento: *¡No tengas temor cuando estés frente a tus enemigos. Sé valiente e íntegro para que Dios te ame. Siempre habla con la verdad, incluso si eso te lleva a la muerte. Protege a los indefensos y no engañes. Este es tu juramento!* De repente, con el dorso de la mano, el padre golpeó a Balian en el rostro y le dijo: *¡Y esto es para que lo recuerdes!* El padre de Balian quería que nunca se olvidara del juramento, y por eso agregó dolor al juramento. Tú no olvidarás una lección si sufres dolor por ésta.

Existen dos clases de líderes. Líderes que piensan a corto plazo y líderes que piensan a largo plazo. Los líderes a corto plazo solamente piensan en lograr su meta siguiente sin importar cómo lo hacen. Líderes a largo plazo piensan en grande. Ellos no solamente piensan en lograr en cómo lograr su próximo meta, sino lo más importante, ellos piensan cómo mantener el éxito que pretenden alcanzar así como también ir más allá.

Para los líderes y los que están por venir, es absolutamente necesario que ellos aprendan de los errores que otros grandes líderes en su campo profesional han cometido y que han traído abajo sus negocios, de esa manera ellos pueden evitar correr con la misma suerte. Las únicas personas que están calificadas para enseñarnos de los errores son aquellos que han sufrido el dolor de esos errores y que han sobrevivido. El dolor nunca les va a permitir que se olviden de la lección que ellos aprendieron. Entre más consejos y estrategias recibamos de nuestros respectivos líderes, más aprenderemos de esas grandes lecciones; los errores que otros han cometido, nosotros debemos evitar que se repitan.

A lo largo de toda la Biblia, si pones mucha atención, te vas a dar cuenta de un hecho asombroso. Toda la Biblia señala los errores que personas claves cometieron en la historia. Durante miles de años, cada vez que aparecía un nuevo líder, el primer papel que jugaban era restaurar los errores del líder anterior antes seguir adelante y crear una nueva historia. La historia se repetirá por sí sola hasta que el error sea totalmente restaurado.

Liderazgo en una familia

Si le preguntas a la gente, *¿Quién es el verdadero líder de tu familia?*, lo más seguro es que digan, *Los padres son los líderes, o el padre es el líder, y el padre o madre soltero(a) es el líder, o la mamá es la líder.* Este es un error común en el liderazgo de la familia. Yo creo que el verdadero líder de la familia no es ni la madre ni el padre. Los «líderes activos» son los padres, pero el *Verdadero Líder* de la familia es la *Presencia de Dios*…déjame explicarte.

Si Dios es removido de la familia, los padres literalmente han tomado la posición de Dios y se han convertido en «dios falso». Sin embargo, los padres no son perfectos, así que todas y cada una de las veces que ellos comenten un error, los hijos son testigos de los defectos y pierden el respeto. Después de años de errores continuos, eventualmente el liderazgo de los padres se pone en duda o estará completamente perdido, causando que la unión familiar se desintegre.

¿Qué es Dios?... Dios es amor. ¿Qué es amor?...Amor es poder. Un poder que une dos seres humanos. Cuando Dios toma la posición que por derecho le corresponde como Verdadero Líder de la familia, el amor de Dios une a todos los miembros de la familia y los mantiene juntos. Cuando un individuo tiene una relación personal con Dios, eso significa que esta persona entiende y conoce el corazón de Dios. Cuando tú eres uno con el corazón de Dios, lo sabrás, porque estarás escuchando constantemente palabras de amor, respeto, servicio, sacrificio y perdón en tu corazón y en tu mente. Tú vas a sentir el apoyo de Dios que te empuja a: *perdonar y amar a tus padres de todas maneras, respetar a tu padre, amar a tu madre, servir a tus padres, cuidar de tus hermanos y hermanas...¡Sacrificio!...¡Perdón!*

Muchos se confiesan a sí mismo, *Yo conozco el corazón de Dios...* pero conocerlo y no hacer lo correcto, es no conocerlo.

¿Qué es liderazgo?

Según John Maxwell, *Liderazgo es influencia...* Por lo tanto, cuando la presencia de Dios es el verdadero líder de la familia, Su amor va a influenciar a cada persona de esa familia para que actúe de cierta manera el uno hacia el otro. Sacar a Dios de la familia es como quitar el pegamento que mantiene a la familia unida. Lo que se practica dentro de la familia es entonces duplicado fuera y dentro de la comunidad y del mundo.

La responsabilidad de un líder

La responsabilidad número uno de un líder no es guiar a la familia, sino darle esperanza. La esperanza influye para que las personas aguanten y sigan luchando para lograr sus sueños. La película, *Jakob the Liar* (Jakob el mentiroso), es acerca de un hombre judío llamado Jakob. Jakob y todos los judíos del área eran cautivos de los nazis en las juderías de Polonia durante la Segunda Guerra Mundial. Los nazis prohibieron toda comunicación radial entre los judíos y el mundo exterior. Ellos querían asegurase de que los prisioneros detenidos no tuvieran conocimiento de cómo iba la guerra. Ellos querían lisiar el espíritu de los judíos para quitarles la esperanza. La estrategia era que si podían robarles la esperanza, los judíos no tendrían el poder para levantarse contra ellos. Eso funcionó, y como resultado muchos judíos recurrieron al suicidio hasta que un día que Jakob escuchó la emisión de radio en los cuarteles de un oficial nazi. La puerta estaba abierta y él escuchó al locutor decir que los rusos se estaban acercando a Polonia. Jakob sabía que cuando los rusos llegaran a Polonia los judíos serían liberados. Inmediatamente después de salir del cuartel, Jakob fue y le dijo a un amigo que los rusos ya casi llegaban a Polonia.

Su amigo le preguntó, *¿Cómo sabes eso? Yo lo escuché en la radio. ¿Tienes radio? ¡No! Yo lo escuché en la radio en el cuartel nazi. No, no es cierto. ¡Tú tienes radio! No, yo no tengo radio. Por supuesto que no,* su amigo comentó de manera sarcástica.

El siguiente día Jakob se enteró que su amigo había dicho a algunas otras personas que él tenía un radio y que los rusos se estaban acercando a Polonia. El rumor de que Jakob tenía un radio se extendió por todos las juderías. Esto le dio mucha esperanza a la gente. Aquellos que estaban a punto de cometer suicidio de repente cambiaron de idea. Ellos comenzaron a creer que solamente era cuestión de tiempo para que ellos fueran libres nuevamente.

Un grupo selecto de hombres decidieron crear un grupo de resistencia, y de esa manera estar listos para pelear cuando llegaran los rusos. Todos ellos señalaron a Jakob para que fuera el líder. No fue una sorpresa porque él era el único que estaba dando esperanza.

Pocos días después, el rumor de que Jakob tenía radio llegó a oídos de los nazis. Los nazis torturaron a Jakob solamente para descubrir que era una mentira. Jakob no tenía radio, pero el problema fue que los judíos seguían creyendo que sí tenía radio. Los nazis le dijeron a Jakob que lo iban a ejecutar frente a toda las gente si no admitía que él no tenía radio y que todo era una mentira.

Mientras Jakob estaba de pie en la plataforma con una pistola apuntando en su cabeza, él podía ver a toda la gente desesperada, con la esperanza que previamente les había dado. Él no podía defraudarlos. Como un verdadero líder, el se rehusó a hacer añicos sus esperanzas. Así que sacrificando su propia vida él afirmó falsamente, *¡Yo tengo un radio!*

Este fue realmente un ejemplo conmovedor representando la responsabilidad más importante de un líder...dar esperanzas.

Pocos meses antes de que mi padre falleciera, yo recuerdo haber recibido un comentario del alguien de la India que acababa de terminar de leer mi primer libro, *How Can I Get Myself To Do What I Need To Do?* (¿Cómo puedo obligarme a mí mismo a hacer lo que tengo que hacer?) La persona decía que había sido inspirada por la historia de mi padre, de cómo él había llegado a tener éxito en Inglaterra cuando no podía leer ni escribir inglés. La persona comentaba que mi padre debió haber sido un gran hombre. Cuando recibí ese correo electrónico yo fui corriendo hacia abajo y se o leí a mi padre. Yo le dije: *¡Ves, gente alrededor del mundo que ni siquiera te conoció piensa que eres un hombre grandioso!* Lágrimas de alegría rodaron de sus ojos. Es asombroso como él pudo dar esperanza a alguien al otro lado del mundo, que ni siquiera conocía, por medio de su lucha y haber vencido sus propios retos.

Siempre ten en mente, cuando tengas la determinación y persistencia de vencer tus propios retos, tú vas a dar esperanza a mucha gente para que hagan lo mismo.

Capítulo 24

Prepárate para los tiempos difíciles

Las luchas son la forma que la naturaleza tiene para fortalecerte.
- John Locke, serie de televisión *Lost*

Cuando estamos enfrentando retos personales, y la vida se convierte en una gran lucha, ¿no sientes algunas veces que tú eres la única persona que está atravesando momentos difíciles, y que ninguna otra persona en la historia que ha logrado cosas grandes ha tenido los mismos retos que tú? A pesar de que intelectualmente sabemos que nosotros no somos los únicos que hemos tenido retos, emocionalmente nos sentimos como si solamente nos pasara a nosotros, y si solamente nos está pasando a nosotros, seguramente estamos haciendo algo erróneo; seguramente estamos en el camino equivocado. Tal vez sea momento de renunciar y hacer algo donde no tengamos estas luchas y que será una señal de parte de Dios que finalmente estamos haciendo lo correcto, porque no tenemos luchas.

Hace unos años atrás, yo comencé a notar una serie de cosas que parecía que siempre pasaban después de que yo tomaba la decisión de lograr una nueva meta. Primero, me emocionaba por un sueño nuevo que quería lograr. Luego, me ponía metas y hacía un plan de la manera cómo iba a lograrlo. Luego, oraba y le preguntaba a Dios, *¿Qué piensas Dios, debería hacerlo? ¿Crees que lo puedo hacer?* Después de orar, muchas veces podía sentir a Dios diciéndome, *¡Sí, tú puedes. Yo estoy contigo 100%.* Luego escuchaba a los ángeles cantando: *¡¡Aleluya, aleluya, aleluya!!* Yo me sentía muy animado, *Esto va a ser fácil porque Dios está conmigo.*

Luego tomaba la decisión de iniciar mi jornada. *¡Ya está, yo lo voy a hacer!*

Tan pronto como llegaba mi primer obstáculo, sentía como si empezaba a descender dentro de un valle de frustración que se ponía más y más profundo. Cada vez que me proponía una nueva meta, y enfrentaba mi primer obstáculo, sucedía lo mismo. Automáticamente entraba a este valle donde iba a experimentar los mismos sentimientos una y otra vez, no importaba qué meta estaba tratando de lograr.

Cuando finalmente lograba mi meta, era como si de alguna manera había salido del valle. Yo nombré a éstos «Valles de Victoria». Yo me di cuenta que todo lo que tenía que hacer era atravesar por el valle y podría lograr mi objetivo.

Debido a que esto me pasó muchas veces, yo comencé a escribir las cosas que me sucedían mientras estaba yendo y atravesando mi Valle de Victoria. Yo escribí estas experiencias porque pensé, si yo sé lo que va a pasar, yo puedo prepararme mentalmente para el «valle» la próxima vez que me proponga una meta. Voy a compartir contigo una lista de cosas que experimenté casi cada vez que me proponía una nueva meta y comenzaba mi nueva jornada:

1.- Pensamientos negativos comenzaban a venir a mi mente. Yo no tenía idea de dónde venían, pero éstos se hacían más fuertes y frecuentes: *¡No va a funcionar! ¡Yo estoy haciendo lo equivocado! ¡Yo me emocioné demasiado y no lo pensé cuidadosamente! ¡Estoy perdiendo mi tiempo! ¡Tal vez suceda esto y aquello¡*

2.- Pérdida de concentración. De repente ya no me podía enfocar por períodos largos de tiempo. Yo no podía pensar con claridad. Yo no podía crear algo nuevo o tener nuevas ideas. Mi mente daba vueltas como loca y no podía parar. No me podía relajar ni siquiera por un momento mientras estaba atravesando esta parte del valle.

3.- Pérdida de motivación. Mi energía comenzaba a agotarse a medida que yo batallaba con pensamientos negativos en mi mente todo el día. El estrés comenzó a influenciar mi comportamiento.

Comencé a frustrarme con mis hijos y mi esposa por cosas insignificantes que normalmente no me hubieran molestado. Yo comencé a estar muy callado en casa y no quería hablar con nadie. Mi sueño ya no me inspiraba tanto como antes; parecía como si hubiera estado perdiendo poder.

4.- A veces cuando oraba sentía un vacío espiritual. Se me estaba haciendo difícil tener una conexión emocional con Dios como lo hacía antes. Yo sentía como si Él ya no me escuchaba. A veces me sentía como si Dios realmente me había abandonado, justamente cuando más lo necesitaba. Yo me sentía completamente solo cuando estaba tratando de alcanzar mi sueño. Me hacía cuestionarme si debería o no seguir adelante… ¿Estaba Dios diciéndome que me diera por vencido?... Yo no sabía.

Después de atravesar muchas experiencias personales en Valles de Victoria, yo me di cuenta que la experiencia del Valle de Victoria aparecía casi cada vez que me proponía una nueva meta en cualquier área de mi vida: aprender un idioma nuevo, tomar exámenes para la universidad, entrenar para algún deporte, construir un negocio.

Entre más grande era la meta, más larga y profunda era la experiencia que enfrentaba en el Valle de Victoria.

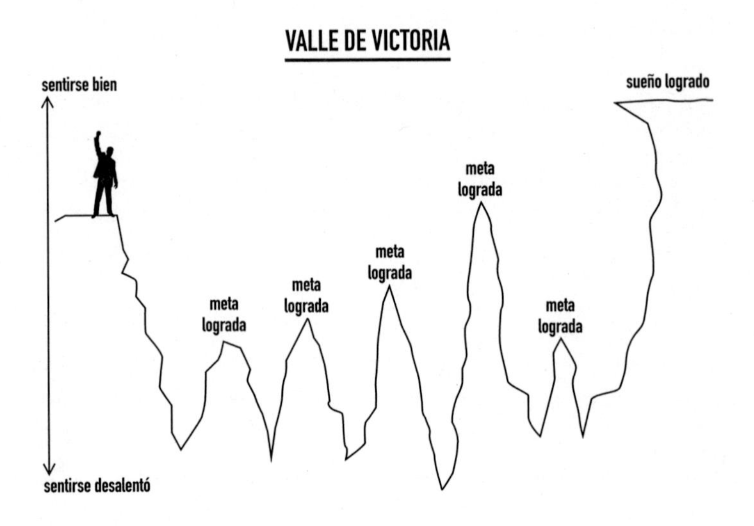

¿Cómo soportamos y logramos atravesar con éxito por el Valle de Victoria?

Tu SUEÑO y tu ACTITUD van a ser tu única guía de luz en el Valle de Victoria.

TU SUEÑO

Te debes de preguntar continuamente a ti mismo: *¿Realmente creo en mi sueño? ¿Vale la pena pelear por mi sueño? ¿En realidad quiero esto? ¿En realidad necesito esto? ¿Si logro mi sueño, me va a convertir en un mejor se humano? ¿Va a ser de beneficio para mi familia? ¿Me va a permitir hacer la diferencia de manera positiva en el mundo?*

Si tu respuesta es *Sí,* vas a seguir adelante. Entre más clara sea tu visión, más poder te dará para soportar el viaje a través del valle. La gente se da por vencida, no porque sea tan difícil atravesar el valle, sino porque su visión y su sueño no estaba claramente definido. A ellos se les olvidó dónde comenzaron la jornada y cómo se sentían antes de entrar al valle.

Mejor si tu sueño está ardiendo en tu corazón, porque cuando vienen los tiempos difíciles y te golpean en la cara va a ser muy difícil ver con claridad.

TU ACTITUD

1.- Nosotros tenemos que entender porqué los retos vienen a nuestra vida. Si sabemos el porqué, eso nos va a dar poder para seguir adelante.

¿Por qué vienen retos a mi vida?

a. Yo creé un reto por mi propio error o estupidez.

b. Dios puso el reto en mi vida para protegerme, cambiar mi dirección o enseñarme algo que yo necesitaba saber para el futuro, así que debo estar agradecido.

c. Alguien más puso ese obstáculo en mi camino por alguna razón, y siempre y cuando yo sea fiel a los valores de Dios, Dios va a quitar el dolor que este obstáculo me ha causado y lo va a usar como una condición para bendecir mi vida de una manera aun mayor que si el obstáculo nunca hubiera sido puesto en mi camino, así que tengo que seguir tratando de lograr mi sueño.

2.- Para poder lograr metas más grandes en el futuro necesitamos sabiduría específica. Esta sabiduría específica solamente se puede obtener atravesando *ciertos* retos que vienen a nuestra vida. El reto que estamos atravesando en estos momentos puede ser en realidad una llave que abra la puerta para niveles más altos de éxito en un futuro venidero, así que mantente fuerte y decidido para vencerlo.

3.- A veces, para poder lograr niveles más altos de éxito, el reto que estamos enfrentando quizás sea tan difícil que va a causar que el suelo donde estamos parados se abra y nos haga caer a un nivel aun más bajo de éxito que tenemos en estos momentos, antes de que podamos levantarnos a un nivel más alto más adelante.

En la película, *The Pursuit of Happiness* (La búsqueda de la felicidad), cuando Chris Gardener decide comenzar su sueño de convertirse en corredor de bolsa, al inicio, su situación financiera y su vida personal empeoraron, antes de mejorar. Mientras estuvo en entrenamiento de 6 meses sin recibir cheque de pago a él se le terminó el dinero, no podía pagar el alquiler, su esposa lo abandonó a él y al hijo de ambos, perdió su hogar, fue de refugio en refugio con su pequeño hijo, e incluso hubieron veces que tuvo que dormir en baños públicos toda la noche. Este fue su Valle de Victoria cuando estaba de camino a convertirse en corredor de bolsa certificado.

4.- El dolor en el Valle de Victoria tiene tiempo limitado. Nosotros solamente tenemos que soportar el dolor por cierto período de tiempo, después se terminará. Los tiempos difíciles no duran para siempre, éstos pasarán. Como dice el refrán: «No hay mal que dure cien años».

5.- Nosotros tenemos que pedir prestado poder de las experiencias de la vida de otras personas que han atravesado con éxito el Valle de Victoria, el cual estaba lleno de retos, incluso más grandes que los retos que nosotros enfrentamos: líderes de negocios y héroes de la historia. Es gracias a su historia que nosotros recibimos inspiración y esperanza. La esperanza es lo que nos da poder para seguir adelante y atravesar los retos en nuestro Valle de Victoria.

Cuando retos grandes, difíciles y dolorosos vienen a nuestra vida, éstos nos obligan a buscar poder y paz en lugares que nunca pensamos que estaríamos buscando.

La película, *Amistad* está basada en una historia de la vida real. Se trata de un grupo de hombres y mujeres africanas que fueron llevados de África a América en contra de su voluntad para ser vendidos como esclavos. Ellos no solamente estaban peleando por su libertad, ellos estaban también peleando por sus vidas. Ellos fueron llevados a corte por algunos dueños de esclavos quienes afirmaban que tenían derecho de ser sus dueños. Esos africanos habían sido testigos de violaciones, torturas, y docenas de asesinatos de sus compatriotas hombres y mujeres a lo largo del viaje a América. Ellos sabían que si no ganaban su libertad en corte, ellos estarían como muertos. Este era su Valle de Victoria. Ellos sufrieron mucho dolor y estaban desesperados por algo en lo que pudieran creer, algo que les diera incluso la más mínima esperanza.

Un manifestante que estaba en contra de la esclavitud le dio una Biblia a un esclavo llamado Yamba. Él no tenía idea de lo que era la Biblia. Él ni siquiera podía leer inglés. Todo lo que podía hacer era mirar las imágenes. Durante días él miró fijamente las imágenes en la Biblia tratando de entender de qué se trataba. *¿Por qué me fue dado este libro?* Justo el día en que todo parecía estar perdido; el día que se había predicho que perderían la batalla de sus vidas en la corte, él descubrió una historia en la Biblia. Él se volvió a su amigo, abrió la Biblia y le comenzó a explicar lo que él pensaba que cada imagen de la Biblia significaba.

Yamba: *Mira, su gente ha sufrido más que la nuestra. Sus vidas estaban llenas de sufrimiento. Luego él nació y todo cambió.*

Joseph: *¿Quién es él?*

Yamba: *Yo no sé, adondequiera que él va es seguido por el sol. Aquí él está sanando gente con su mano, protegiéndolos, les está dando niños. Él también puede caminar sobre el mar. Pero de repente algo pasó. Él fue capturado. Se le acusó de algún tipo de crimen. Aquí él está con sus manos amarradas.*

Joseph: *¡Él debió haber hecho algo!*

Yamba: *¿Por qué? ¿Qué hicimos* **nosotros***? Haya sido lo que haya sido, era lo suficientemente serio como para matarlo por lo que hizo. ¿Quieres ver cómo lo mataron?*

Joseph: *Esta es solamente una historia, Yamba.*

Yamba: *Pero mira, ese no fue el final. Su gente bajó su cuerpo de esta cosa…esta [Él hace una señal de la cruz en el aire]. Ellos se lo llevaron a una cueva. Ellos lo envolvieron en un manto, como nosotros lo hacemos. Ellos pensaron que él estaba muerto, pero él apareció a su gente nuevamente y les habló. Finalmente, él se elevó al cielo. Es aquí donde las almas se van cuando nos morimos. Es aquí donde vamos a ir cuando nos maten. No está mal. [él sonríe].*

Es así como Yamba llegó a su Valle de Victoria. Él ponía su Biblia en su pecho cada vez que iba a la corte. Sin embargo, su amigo José no estaba listo para creer el mensaje de la Biblia. Él obtuvo fuerza y esperanza de una fuente diferente. Cuando le preguntaron cómo se había sentido acerca de la última pelea en corte la noche anterior, él dijo:

¡No vamos a ir solos! Yo voy a llamar al pasado, a mis antepasados de los tiempos remotos y rogarles que me vengan a ayudar. Voy a regresar al pasado y atraerlos hacia mí y ellos han de venir, porque en este momento, yo soy la única razón por la cual ellos han existido!

6.- Prepárate mentalmente para lo que vienen cuando entres al Valle de la Victoria. En la película, *Rocky Balboa*, Rocky describe el Valle de la Victoria de una manera brillante... *El mundo no es solamente rayos de sol y arcoíris. Es un lugar malo y repugnante, y no importa que tan fuerte eres, este lugar va a ser que te pongas de rodillas y te va a mantener ahí por siempre si se lo permites. Ni tú, ni yo, ni ninguna otra persona va a golpear tan fuerte como la vida misma. Pero no se trata de qué tan fuerte vas a golpear. Se trata de qué tan fuerte vas a golpear y seguir avanzando. Cuánto puedes aguantar y seguir moviéndote hacia adelante. ¡Es así como se gana!*

Cada vez que me propongo una nueva meta para lograr algo grande en la vida, yo tengo una fórmula que sigo, ésta me da poder para atravesar tan pronto como me sea posible y con éxito el Valle de la Victoria. Yo me digo a mí mismo...

«Terry, en cuanto te propongas una meta nueva y tomes la decisión para empezar tu viaje, prepárate para lo que vendrá. Vas a tener pensamientos negativos entrando a tu mente. ¡Tienes que estar listo para cuando venga esto! **Pelea y mantente en el camino mediante la lectura de libros con mensajes positivos.»**

En seguida, vas a experimentar tiempos cuando pierdas la concentración, enfoque y creatividad. Prepárate para cuando eso suceda. **¡Sé paciente y trabaja más fuerte!**

Después vas a experimentar pérdida de motivación y energía. En ocasiones tu sueño va a parecer inútil. ¡Prepárate para cuando eso suceda! **As algo temporal, mantente enfocado. ¡Trabaja más fuerte!**

Después, te vas a empezar a preguntar si vale o no la pena pelear por tu sueño; ¿Sigo avanzando o me doy por vencido?

¡Prepárate para cuando esto suceda! **Esto es normal, ¡trabaja más fuerte!**

Después, tu nivel de estrés va a aumentar. Te vas a frustrar con los miembros de tu familia con más facilidad. ¡Prepárate para cuando esto suceda! **¡Lee libros con mensajes positivos y enfoca tu mente!**

Después, van a haber momentos en que vas a estar callado. No vas a querer decir nada porque te vas a sentir desanimado. Vas a estar ocupado luchando con tus pensamientos negativos. ¡Prepárate para cuando esto suceda! **¡Sigue leyendo, fortalece tu mente. Mira películas con mensajes poderosos!**

Después, tus oraciones van a parecer vacías. Te vas a sentir como si has perdido la conexión emocional con Dios. Vas a sentir como si Él ya no te escucha. ¡Prepárate para cuando esto suceda! **¡Ora aun más fuerte! Él te está escuchando, aunque no lo sientas.**

Después, vas a sentir como si Dios te ha abandonado. Te vas a sentir completamente solo en tu camino. Prepárate para cuando eso suceda. Ora aun más fuerte y dile a Dios: *Yo entiendo lo que está pasando. Yo sé que me tienes que dejar temporalmente para que yo pueda crecer. Está bien. Yo puedo manejarlo. Aunque parece como si me hubieras abandonado, yo no te voy a abandonar. No voy a perder la fe en ti, no importa las dificultades por las que tenga que pasar. Yo voy a seguir trabajando más y más fuerte para ganarme tu respeto. Yo sé que vas a regresar pronto. Gracias por creer en mí. No te voy a defraudar.*

Es importante entender que el viaje por el Valle de la Victoria puede duras semanas, meses y algunas veces años, dependiendo del tamaño de tus sueño, así que prepárate para seguir luchando el tiempo que dure.

Mike Murdock, un ministro y orador cristiano se refiere al Valle de la Victoria como diferentes estaciones de nuestra vida. Él dice que lo que determina cuánto tiempo permanezcamos en una estación depende de nuestra sabiduría. Entre más conocimiento correcto adquiramos y apliquemos, más rápido vamos a salir de nuestro Valle. Para poder acortar tiempo en tu Valle, tú tienes que adquirir conocimiento constante de esos que han hecho el viaje antes que tú.

Al igual que las estaciones, cuando el tiempo difícil viene a tu vida, lo más probable es que sea diferente al anterior. Si los tiempos difíciles siempre nos van a sorprender por la manera como están vestidos, ¿cómo podemos preparamos para enfrentarlos? La única manera que nos podemos preparar es mentalmente. Leer libros de crecimiento personal, actitud, carácter y espiritualidad, eso nos hará más fuertes mentalmente y estaremos mejor preparados emocionalmente para manejar cualquier situación difícil que venga a nuestra vida. Mi mentor espiritual explica el Valle de la Victoria de la siguiente manera:

Cuando una persona entra al Valle de la Victoria, ha elegido sufrir voluntariamente y pagar el precio para poder lograr su meta. Sufrir voluntariamente no es sufrimiento, es creación... creación de tu futuro.

Cada vez que me acercaba al Valle de la Victoria, de repente ya no me sentía solo. Mis oraciones llegaron a ser mucho más poderosas. Yo podía sentir que Dios había regresado. Mi conexión con Él llegó a ser aun más fuerte porque no perdí la fe; porque yo no lo maldije por mi sufrimiento y porque yo no me di por vencido. Cuando una persona sale del Valle de la Victoria ya no es la misma persona; no solamente ha logrado su meta, sino que las luchas por las cuales atravesó van a provocar que ésta o estas personas crezcan mental, emocional y espiritualmente.

Para mí personalmente, atravesar el Valle de la Victoria no solamente dio lugar a que lograra mi objetivo, sino que lo más importante fue que me ayudó desarrollar una relación más cercana con Dios. Mientras que enfrentaba los problemas, no solamente le decía a Dios acerca de los problemas que yo sentía en mi corazón, sino que también al mismo tiempo, le decía a Él, *¡Está bien, no te tienes que preocupar por mí. Yo lo voy a lograr. No te voy a decepcionar. No me voy a dar por vencido. Yo estoy haciendo esto por ti!*

Entender el Valle de la Victoria me cambió la vida y también puede cambiar la tuya.

Capítulo 25

Prepárate para la crítica

El grado en que la gente diga que te han lavado el cerebro es una medida de tus convicciones.

-Rev. Sun Mynung Moon

Si haces cosas grandiosas, vas a recibir grandes halagos y críticas. Si no haces nada, no vas a recibir halagos, pero vas a recibir críticas por no hacer nada. Es parte del paquete. No importa lo que hagas, la crítica siempre va a ser parte del paquete, así que haz lo que quieras hacer. Cada vez que actúas por algún consejo de un crítico con la intención de callarle la boca, tus mismas acciones para hacer exactamente eso, provocan que nazcan nuevos críticos que no tenías antes. Así que de la misma manera que el padre de William Wallace dice en la película, *Braveheart*, *¡Tu corazón es libre, ten el valor de seguirlo!* Debes ignorar las personas negativas. Tú debes ignorar lo que piensan y dicen. Ellos no sienten tu dolor. ¡Ellos no tienen los sueños y esperanzas que tú tienes para tu vida! Sigue *tu* corazón.

Cuando yo escribí mi primer libro, antes de distribuir una sola copia, yo quería prepararme mentalmente para los críticos, y para lo que yo sabía que tarde o temprano iba a venir. Yo escribí este mensaje a mí mismo… *Prepárate para los críticos. Algunas de las personas que más te critiquen serán personas que nunca esperaste; personas que estarán en la posición de ayudarte en gran manera, pero que van a elegir no hacerlo. Al mismo tiempo, prepárate para esas personas especiales, que nunca antes conociste o esperaste, que vendrán a tu vida y te ayudarán en maneras que nunca imaginaste.*

Aunque es extremadamente difícil, trata de desarrollar una

actitud de gratitud hacia tus críticos. Sé agradecido con tus críticos. Ellos van a forzarte a que te refines a ti mismo y te conviertas en alguien mejor y más fuerte. Si no tuvieras críticos nunca cambiarías. No te empujarías a ti mismo a crecer y a convertirte en mejor persona. Tú no tienes que estar de acuerdo con ellos, pero aprende a tener simpatía por los puntos de vista de tus críticos. Si tuvieras la experiencia que tienen tus críticos estuvieras diciendo lo mismo. Respeta el punto de vista de tus críticos, porque desde su perspectiva, ellos creen estar en lo cierto. Y según tu punto de vista, tú también estás en lo correcto. Así que, sigue haciendo lo que has estado haciendo si realmente tienes la convicción de hacerlo. Después de predicar y recibir mucho rechazo y crítica de la gente, los discípulos de Jesús vinieron a Él desanimados y buscando consuelo. Jesús le dijo esto a sus discípulos:

Aquel que tenga oídos que escuche... Y todo aquel que no los reciba ni oiga vuestras palabras, al salir de esa casa o de esa ciudad, sacudid el polvo de vuestros pies.

Cuando estás mostrando tu plan de negocio, tu responsabilidad no es insistir demasiado y tratar de vender la oportunidad a tus prospectos. Tu responsabilidad es simplemente hacer lo mejor al momento de presentar la oportunidad. Sin embargo, la responsabilidad de tus prospectos es *reconocerla* como la oportunidad que podría cambiar sus vida. **¡Toda la presión está sobre ellos!** Si ellos no pudieron reconocerla, los perdedores son ellos, y van a sufrir las consecuencias de haber perdido la oportunidad.

Nunca te enojes con un prospecto si éste toma la decisión de no unirse a tu negocio, o un crítico si éste elige criticarte o perseguirte. Recuerda siempre, tú eres «LA PUERTA» para todas las cosas grandes que han cambiado tu vida. Cuando alguien rechaza tu negocio o te critica, tú debes entender que solamente es su opinión en el momento. Dos, cinco o incluso diez años después, las cosas en su vida van a cambiar, así también sus opiniones. Si has mostrado respeto, independientemente de su punto de vista, cuando ellos estén listos para hacer un cambio en su vida, seguro que ellos se van a comunicar contigo o van a llegar a tu puerta. Algunas personas quizás nunca van a tener interés en unirse contigo a tu negocio, pero si ellos están impresionados con la persona en la que te has convertido, con seguridad te van preguntar qué te ha influenciado para que llegues a ser la persona que eres. Entonces vas a tener la oportunidad de compartir con ellos lo que tanto quieres.

Ya sea que te guste o no, conozcas o desconozcas, eres un representante. Tú representas todo lo que es importante para ti. Tú representas tu negocio, tú representas tu fe, tú representas tu familia y todo lo demás en lo que tienes convicción. La pregunta es, ¿Qué clase de representante eres? ¿Uno que la gente rechaza por su impaciencia y arrogancia, o uno que atrae a la gente por su amabilidad y respeto? La elección es tuya.

Capítulo 26

El poder de la autoreflexión

Seis errores sigue cometiendo la humanidad siglo tras siglo:
Creer que la ganancia personal se consigue aplastando a otros;
Preocuparse de cosas que no pueden ser cambiadas o corregidas;
Insistir que alguna cosa es imposible porque no se ha podido lograr;
Negarse a dejar a un lado las preferencias triviales;
Descuidar el desarrollo y refinamiento de la mente;
Intentar obligar a otros a creer y vivir de la manera que nosotros los hacemos.

- Cicero

Unos años atrás yo recuerdo haber estado muy frustrado con mi nivel de éxito. Yo sentía que debía haber logrado mucho más de lo que tenía en el área de las finanzas. Yo siempre estaba trabajando duro y sentía como si no era justo. Cuando oraba, yo le suplicaba a Dios: *¿Por qué no me permites ser más exitoso? Yo he trabajado fuerte por tantos años, yo merezco ser más exitoso financieramente. No es justo. ¿Cuánto más tengo que seguir trabajando y por cuántos años? ¿Por qué no me permites tener el éxito financiero que yo me merezco?*

Yo repetí esta oración muchas veces. La respuesta que recibía era la misma cada vez. *Tú todavía no estás listo. Tu corazón no está en lo correcto. Si hoy recibes el éxito financiero que crees que te mereces, vas a destruir a tu familia y tu vida. Necesitas crecer más. Necesitas desarrollar más tu corazón. Conviértete en mejor persona y el éxito va a venir después de tu crecimiento.*

Cuando miro hacia atrás, si hubiera tenido más éxito en la finanzas en aquellos tiempos, yo me hubiera divorciado de mi esposa. Hubiera sido más fácil irme cuando las cosas se ponían difíciles, en lugar de tratar y cambiar mi naturaleza terca, insoportable e impaciente.

¿Por qué es importante que te conviertas en una mejor persona?

Nosotros no vemos nuestros retos como éstos son, sino como somos *nosotros*. A medida que llegamos a ser mejores y más fuertes, los retos que vienen a nuestra vida van a parecer más pequeños y fácil de vencer.

El señor Edmund Hillary, quien intentó escalar el Monte Everest y fracasó la primera vez que lo intentó, miró la foto del Monte Everest y dijo: *Monte Everest, me has vencido, ¡pero voy a regresar y yo te voy a vencer!...¡porque tú no puedes crecer más, yo sí!*

¿Cómo te conviertes en una mejor persona?

La personas que leen libros de crecimiento personal y espiritual de manera consistente, automáticamente van a comenzar a poner atención en su manera de pensar, cómo hablan y cómo actúan. Los libros con mensajes positivos que leen continuarán empujando y animando para que cambien su comportamiento y lleguen a ser personas más tolerantes, respetuosas, perdonadoras y amorosas. La personas que no leen esta clase de libros, usualmente están inconscientes de la manera que se comportan y se comunican con otros. La motivación para cambiar su comportamiento usualmente sólo viene después de haber sufrido dolor y sufrimiento de numerosas relaciones fracasadas.

Si quieres mejorar tus rasgos de carácter, solamente un reto en esa área va a causar a que te conviertas en alguien mejor. Si quieres llegar a ser más fuerte, no tienes otra opción más que enfrentar retos, y no puedes irte cuando éstos llegan. Si quieres desarrollar más paciencia, solamente lo puedes hacer atravesando situaciones de estrés y frustración. Si quieres convertirte en una persona más noble, tienes que comenzar con tu propia familia, amar a quienes es difícil amar.

Uno de los retos más grandes en mi vida fue cuando yo decidí hacer una cita conmigo mismo una vez por semana. Mi objetivo era diseñar mi 'yo' ideal y mi 'vida' ideal; pensar realmente en quién quería convertirme, lo que quería lograr y qué quería hacer con mi vida.

7 pilares para una vida estupenda

1. Relaciones
2. Fe
3. Salud
4. Finanzas
5. Actitud (cómo veo el mundo)
6. Carácter (cómo me ve el mundo, el verdadero 'Yo')
7. Sueños (el mundo que quiero crear)

1.- Relaciones

Hace uno años yo estaba cambiando canales en la televisión cuando me topé con una película blanco y negro que parecía interesante. No me acuerdo el nombre de la película, pero mostraba un grupo de personas sentadas en una sala de espera. Todos están esperando ser llamados por su nombre para poder entrar a través de un conjunto de puertas blancas. Algunos de ellos parecen bien relajados, mientras que otros están un poco ansiosos de lo que les espera.

Cuando cada una de las personas entra a la habitación, son entrevistadas por un hombre que viste un traje blanco.

Tan pronto como yo vi a este hombre, yo pensé entre mí, *Yo apuesto que esta película es acerca del mundo espiritual. Todas estas personas acaban de morir y están esperando ver qué les va a pasar. Y el hombre de traje blanco, tiene que ser un ángel.*

La cámara comienza a enfocar a una dama de edad avanzada muy bien vestida. Ella parece estar un poco decepcionada por tener que sentarse al lado de otras personas, todas ellas parecen ser de menor posición. Ella tiene puesto su sombrero lujoso de plumas y alza su nariz como para evitar oler a la gente que está cerca de ella. Ella suspira y está inquieta, quiere mostrar su molestia por tener que esperar tanto. Finalmente, llega su hora y le piden que entre por las puertas blancas.

Cuando ella entra a la habitación, se pone muy feliz de ver a su difunto esposo que había muerto unos años atrás, pero la reacción por la presencia de él es muy reservada; como si ella no supiera expresar plenamente su amor y alegría. Después que lo abraza, comienza a componerle la corbata y a sacudirle los hombros, como siempre lo hacía cuando estaban vivos. Su esposo también se pone contento de verla, pero de repente ella se acuerda de cómo siempre lo corregía y la manera que lo hacía sentir.

La señora de edad comienza a insistirle al ángel que ella tenía una casa muy hermosa en la tierra, con un gran jardín y un yate en el océano. Ella exige que quiere tener la misma clase de vida en este lugar, después de todo el trabajo duro de ella y de su esposo, ella se lo merece.

No se preocupe señora, usted va a tener todo lo que era importante para usted en la tierra, el ángel le asegura a la señora de avanzada edad. Ella sonríe como si hubiera conseguido todas sus exigencias.

Momentos después, el ángel anuncia que todo está listo y que ella puede pasar a su nueva residencia. *Por favor pase por el corredor de alfombra roja y ahí le van a mostrar su hermosa casa.*

La señora de avanzada edad se levanta y procede a dirigir a su marido, *Vamos.* El ángel la interrumpe diciendo, *Ah no, él no puede ir con usted. Usted solamente va a tener cosas que eran importantes para usted en la tierra: su casa, su jardín, su yate, su ropa, sus muebles, y sus joyas. Solamente las cosas que usted valoraba irán con usted. Personas no. Solamente usted. Sola... justo la manera que usted escogió cuando vivió en la tierra.*

Justo en ese momento, la señora de edad avanzada se da cuenta que la felicidad que ella sintió provenía de las relaciones, no de todas las cosas que ella había acumulado.

Siempre ten esto en mente, la alegría que sientes en tu vida, en realidad viene de las relaciones que tienes, no de las cosas que logras. Si no hay alguien que es testigo de tus logros, no sentirás alegría duradera...todo será para nada.

Por atención a las relaciones que están a tu alrededor mientras vives tu vida y persigues tus sueños. Si tienes una buena relación con tu cónyuge, con tus hijos, con tus compañeros de trabajo y con tus socios de negocio, solamente esas relaciones te darán poder para que logres éxitos mayores en todo lo que hagas.

So logras éxito financiero y descuidas tu familia y lastimas a las personas a lo largo del camino, quizás tus negocios crezcan y sean grandes por un tiempo, pero eventualmente todo caerá. Es la ley del universo. Además, ¿qué tiene de bueno el dinero si vives en relaciones destruidas? No habrá gozo. Cualquier cosa que suceda en tu vida personal y en tu hogar, en última instancia va a afectar el rendimiento en tu vida personal.

En la película, *Great Debaters* (Grandes debatidores) hay una escena donde un niño de cuatro años está siendo cuestionado por su padre acerca de su tarea. El muchacho está parado en la oficina de su padre con su cabeza inclinada con un miedo total. Atrás del padre hay una librera llena de libros en exhibición, y en ese momento yo pensé, *qué tienen de importante todos los libros que has leído, si ni siquiera puedes amar a tu hijo de una manera que él se sienta amado.*

Solamente porque estás leyendo libros de crecimiento personal, eso no quiere decir que tu comportamiento va a cambiar automáticamente. Tú debes de pasar tiempo autoreflexionando y preguntarte a ti mismo con frecuencia:

En realidad estoy cambiando? ¿Cómo puedo mejorar? ¿Qué estoy haciendo de malo? ¿Qué no estoy haciendo?

Cómo puedo ser mejor…

Marido o Mujer - *¿De qué se queja tu cónyuge continuamente?*

Padre o Madre - *¿De qué se quejan tus hijos?*

Hijo o Hija - *¿De qué se quejan tus padres?*

Hermano o Hermana - *¿De qué se quejan tus hermanos(as)?*

Líder, Compañero de Trabajo, Compañero de Equipo - *¿De qué se quejan tus compañeros?*

Con frecuencia yo he dado tarjetas en blanco y he enviado emails a mis hijos y a mi esposa para que ellos me ayuden a convertirme en mejor padre y mejor esposo; yo les pido que me digan por lo menos una o dos cosas, que según su opinión, yo pueda mejorar. Yo siempre les digo en forma de broma,

No más de dos cosas. No se dejen llevar. Yo no quiero que mi autoestima sea completamente destrozada. Probablemente sea más realidad que broma.

Esto no es fácil, especialmente si no puedes enfrentar la verdad, pero si realmente quieres convertirte en mejor persona y crear mejores relaciones, esto te va a llevar directamente adonde necesitas enfocarte… la verdad. Y solamente ellos saben realmente cuál es.

En una tarjeta en blanco, yo escribo cada cosa que necesito mejorar. Yo le llamo a ésta, «mi tarjeta de recordatorio». En el lado opuesto yo escribo lo mismo en una afirmación positiva, como si ya las hubiera corregido. Esto es lo que yo leo con regularidad para recordarme como tengo que actuar.

Yo sabía que algunas de las cosas iban a tomar mucho tiempo para mejorar; éstas se han convertido en hábitos de mal comportamiento que están profundamente arraigados. Yo estaba decidido a mejorar no importando el tiempo que tomara, porque yo sabía que las consecuencias de no cambiar iban a ser peor.

2.- Mi fe

Hace pocos años mi hijo mayor me dijo, *Papá, yo creo que yo no necesito a Dios.* Yo estoy seguro que él estaba esperando una respuesta fuerte inmediata, pero yo no hice eso. En lugar de eso, yo dije algo que él jamás hubiera esperado escuchar. *Estoy de acuerdo. ¿Para qué necesitas a Dios cuando tienes padres? Si necesitas algo nos lo vas a pedir a nosotros, no a Dios.* Él estaba sorprendido de mi respuesta y pensó que yo ya había terminado. Yo no había terminado todavía… *Quizás piensas que no necesitas a Dios ahora, porque tienes padres, pero algún día en el futuro no vamos a estar aquí. Nunca olvides eso. Todos, sin excepción, tarde o temprano, caen de rodillas por diferentes retos que vienen a su vida. Cuando eso te suceda, ¿a quién vas a recurrir que realmente sea de tu confianza? No esperes que ese día llegue para conocerle bien a Él. Si tomas tiempo para buscarle y llegas a conocer Su corazón, Él te va a ayudar a evitar muchos de esos retos que vienen hacia ti. Dios no trabaja en lo exterior como tus padres, Él trabaja en el interior: en tu corazón y tu mente. Una vez que lo llegues a conocer personalmente, una vez que llegues a conocer su corazón y lo mucho que Él te ama, vas a tener una tremenda sensación de paz, poder y sabiduría que no puedes conseguir de nadie más ni de ningún otro lugar en el universo. Todo lo que tienes que hacer es buscar la manera de hablar con Él, Él va a hacer el resto.*

3.- Mi salud

¿Qué necesito hacer que no estoy haciendo? Escribe una tarjeta de recordatorio para cada cosa.

Con frecuencia, lograr nuestras metas y sueños toma más tiempo de lo que pensamos. Nosotros debemos cuidar nuestras salud mientras estamos persiguiendo nuestra pasión. No creas un problema para ti mismo que va a aparecer cuando finalmente logres alcances el éxito.

Algunas personas creen que Dios las ha escogido para hacer algo grandioso con sus vidas por medio de su pasión. Si esto es verdad en tu vida, yo estoy seguro que Él también está dependiendo de ti para que cuides de tu estado de salud para que cumplas esa misión con éxito.

4.- Mis finanzas

Para incrementar mis ingresos en mi trabajo o mi negocio, ¿qué tengo que estar haciendo que no estoy haciendo lo suficiente? Escribe una tarjeta de recordatorio para cada cosa.

5.- Actitud (cómo veo al mundo)

¿Cómo es mi actitud? ¿Reniego demasiado? ¿Traigo energía a la habitación o dreno energía con mi forma negativa? ¿Ahuyento a atraigo a la gente? ¿Cómo reacciono cuando las cosas no se hacen a mi manera? ¿Cómo es mi vocabulario? ¿Qué estoy haciendo o diciendo que no es bueno?

¡Si realmente quieres escuchar la verdad, sé valiente y pregúntale a alguien!

Escribe una tarjeta de recordatorio para cada cosa.

6.- Mi carácter (cómo me ve el mundo, el yo verdadero)

Es fácil fingir tu carácter fuera de tu casa porque solamente es un período corto de tiempo. Nuestro carácter real o ser real es la persona que somos cuando estamos en casa; cuando estamos con nuestra familia, y más cuando estamos solos. Cuando no tenemos que impresionar a nadie, ¿seguimos siento amables, cariñosos, respetuosos y atentos? ¿Seguimos esforzándonos más de lo normal para ayudar a otros? ¿Seguimos hablándonos el uno al otro de manera amable? ¿Seguimos diciendo, por favor y gracias?

Yo recuerdo una vez que fui invitado a una reunión de amigos. Cierta persona trajo sus hijos pequeños. Uno de sus hijos se estaba portando mal y quebró uno de los artículos que estaba sobre la mesa. La madre del niño comenzó a enojarse con su hijo e instantáneamente el dueño de la casa le dijo, en una vos dulce y suave: *No te enojes, él es solamente un niño.* Luego él levantó al niño y lo consoló. Él parecía un padre modelo, para todos aquellos que no lo conocían personalmente. Yo quedé gratamente sorprendido y al mismo tiempo totalmente disgustado con él. Él estaba muy airado por dentro, yo sé esto porque sé como trata de mal a sus propios hijos. Esta demostración de comportamiento no era su verdadero carácter.

Un día en particular, hace unos años atrás, yo estaba tenso por algunas cosas que estaban sucediendo en mi vida y acababa de perder mi paciencia con uno de mis hijos. Yo estaba sentado en la sala, y cuando eché vistazo a la pared frente a mí y vi docenas de libros de crecimiento personal en la librera, instantáneamente escuché una voz en mi mente, *Cualquiera puede ser amable y cariñoso cuando las cosas están yendo bien y ellos se sienten bien.* En ese instante yo me di cuenta que el verdadero carácter de una persona se conoce por la manera en que trata a otros, cuando esa persona está bajo presión y no se siente de lo mejor.

Si yo hubiera tenido un visitante en mi casa, no hubiera perdido los estribos tan fácilmente con mi hijo. ¡Seguro que no! Yo me hubiera portado de lo mejor, porque no me hubiera gustado dañar mi reputación. Así que, ¿por qué me estaba portando de esta manera con mi hijo cuando no habían visitantes? Era porque yo sabía que no tenía nada que perder. Cuando lo pensé más detenidamente, yo me di cuenta que había mucho que perder, incluso más que mi reputación. Perder los estribos tan fácilmente puede provocar que lastime a mi hijo, y si lo sigo haciendo, voy a perder a mi hijo. La relación con mi hijo es mucha más importante que querer impresionar a mis visitas. Desde ese día, yo me di cuenta que mi verdadero carácter es revelado por la manera en que trato a mis hijos y a mi esposa en mi casa. Cuando nadie más está ahí como testigo.

7.- Mi sueño (el mundo que yo quiero crear)

¿Cuál es tu pasión?

¿Cuál es tu propósito en la vida?

¿En qué te quieres convertir?

Cuando hayas contestado estas preguntas, tu vida se va a mover a un nuevo nivel. Escríbelas.

Cada vez que leo mis tarjetas de recordatorio, mi comportamiento en algunas áreas de mi vida cambia de manera instantánea por cierto período de tiempo; no de manera permanente. En ocasiones ha sido solamente por una hora. Pero incluso si es solamente por una hora, sigue siendo mejora. Entre más lees tus tarjetas de recordatorio, tu comportamiento comenzará a cambiar por períodos largos de tiempo.

Yo me di cuenta que cuando mi esposa y mis hijos andan fuera y yo sé que van a regresar pronto, es hora de leer mis tarjetas de recordatorio, justo antes de que ellos lleguen a casa. Si afirmamos que amamos a nuestra familia más que a nadie en el mundo, entonces debemos tratarlos de esa manera.

La verdadera prueba de que hemos cambiado para mejor, viene de nuestra propia familia y de la gente con quien trabajamos. No importa lo que pensamos, si queremos saber la verdad, tenemos que preguntarle a nuestro cónyuge, a nuestros hijos y nuestros compañeros si hemos o no cambiado para mejor. Esa es la verdadera prueba.

¿Eres lo suficientemente valiente para preguntar?

Capítulo 27

El poder del amor de Dios

Una palabra nos libera de todo el peso del dolor de la vida, esa palabra es amor.

- Sophodes

Cuando yo tenía 14 años mi padre compró una propiedad enfrente de donde vivíamos para poner una tienda de ventas al por menor. Él sabía yo que tenía interés en los negocios y me dijo: *Yo quiero que te hagas cargo del manejo de la tienda. Piensa en lo que te gustaría vender en la tienda y vamos a ir a comprar la mercadería. Nosotros podemos contratar a un empleado que se encargue durante el día y luego tú te haces cargo por la tarde después que regreses de la escuela.*

Yo le dije a mi padre, *Yo pienso que deberíamos vender ropa deportiva.* Él ni siquiera dudó y me dijo *Está bien, adelante, ponte en contacto con los proveedores.* Yo tomé el teléfono y primeramente llamé a mi opción número uno, Adidas. La recepcionista me dijo que teníamos que ir a su exhibición para ver la mercadería y abrir una cuenta. Cuando llegamos a la exhibición, yo hice personalmente todas las negociaciones con los representantes de ventas, mi padre no dijo ni una sola palabra, solamente *su presencia* me dio toda la confianza que yo necesitaba. El representante de ventas me dijo que la compañía Adidas tenía una nueva política para abrir cuentas nuevas. La primera orden tenía que ser de £2000, en ese entonces eran casi $4000. Cuando yo le dije a mi padre, él simplemente dijo, *Está bien.* Yo hice la orden con la ayuda del representante de ventas y luego mi padre sacó su chequera.

En las siguientes semanas fuimos a muchos otros proveedores y compramos mercadería. Mi padre probablemente gastó cerca de $8,000 en el inventario inicial y nunca cuestionó ninguna de mis decisiones o mostró preocupación de algunos de los errores que yo pudiera cometer. Yo nunca entendí o aprecié lo que mi padre hizo por mí en aquel entonces, hasta que murió, 30 años después. Cuando miré hacia atrás, ya siendo adulto, después de que él se había ido, pude ver realmente lo mucho que mi padre creía en mí. La fe que él tenía en mí. Lo mucho que confiaba en mí. Él arriesgó mucho de su dinero en mi sueño y en mi habilidad de tomar la decisión correcta. Yo tenía 14 años y él simplemente estuvo completamente de acuerdo con cualquier decisión que yo tomara. Tomó 30 años más la pérdida de mi padre, para que yo me diera cuenta de la grandeza de sus acciones. En la película, *Inmortals* (Inmortales), Zeus, el dios de todos los dioses, estaba hablando con Theseus, un ser humano que estaba luchando mucho y carecía de confianza en sí mismo. Con lágrimas en sus ojos Zeus le dice: *Ningún dios vendrá de nuevo a ayudarte. Tú estás solo, ¿entiendes mortal? Yo tengo fe en Theseus, demuéstrame que estoy en lo correcto!...¡Dirige a tu pueblo!*

Cuando yo escuché estas palabras en esa película, me hizo recordar de lo que mi padre hizo por mí: arriesgando todo su dinero en un muchacho de 14 años. Con sus acciones, él me estaba diciendo: *Yo tengo fe en ti, ¡demuéstrame que estoy en lo correcto!*

A veces cuando le pedimos a Dios que nos ayude en nuestras luchas, y sentimos que Él no nos está ayudando, en realidad Él nos está ayudando al no ayudarnos de la manera que nosotros queremos. Él nos está demostrando que tiene fe en que nosotros podemos solucionar el problema que tenemos sin Él. Cuando solucionamos el problema, aumenta nuestra autoestima. El éxito de lograr solucionar el problema que tenemos incrementa nuestra confianza para poder solucionar problemas más grandes que se avecinan.

Yo siempre solía preguntarme, ¿En realidad, cómo ayuda Dios a una persona? Mientras que buscaba la respuesta en diferentes libros espirituales, yo encontré que Dios ayuda a la gente de una manera similar a la que los padres ayudan a sus hijos. Cuando nuestros padres nos llevaron a la escuela el primer día, ellos no vinieron y se sentaron en nuestro pupitre e hicieron el trabajo por nosotros. Ellos nos dejaron en la escuela después de asegurarnos, *Vas a estar bien.* Dentro de nosotros, teníamos una creencia que vino de nuestros padres de que íbamos a estar bien. Debido a que confiábamos completamente en nuestros padres, creíamos lo que ellos decían. Cuando realmente creemos que alguien cree en nosotros, alguien que confía en nosotros completamente, esa creencia vive dentro de nosotros. Es un sentimiento con el cual nos podemos conectar, y lo hacemos cada vez que necesitamos el poder para hacer algo incómodo.

De la misma manera, entre más oramos y aprendemos acerca del corazón de Dios, más aprendemos a confiar y tener fe en Él. Mientras que nuestra relación se vuelve más y más fuerte, nosotros avanzamos a un lugar donde realmente podemos sentir la presencia de Dios, y su amor muy dentro de nuestro corazón. Cuando nos conectamos con éste, éste nos va a dar el poder para vencer retos dolorosos y hacer cosas grandes con nuestras vidas.

¿Cómo nos consuela el amor de Dios?

Nosotros escuchamos a mucha gente confesar que al amor de Dios les ha dado mucha paz. ¿Cómo recibe una persona el amor de Dios? ¿Cómo Dios sana y quita el dolor en su corazón?

Lo único que tenemos que hacer es pedirle a Dios que entre en nuestro corazón y que sea parte de nuestras vidas. Él nunca se va a negar. Nuestro libre albedrío lo ha mantenido a Él en la entrada de la puerta de nuestra vida esperando ansiosamente una invitación. Justamente como un padre que con desesperación espera que su hijo se abra y le pida ayuda, Dios nuestro Padre Celestial está desesperadamente esperando que sus hijos le busquen y le pidan ayuda.

Unos años atrás a la 1:00 de la mañana, de repente me desperté por el sonido del teléfono. Cuando lo puse en mi oído, yo escuché los gritos horribles de una chica joven. Yo aún puedo escuchar los gritos como si hubiera sido ayer, *Algo le ha pasado a mi madre! ¡Algo le ha pasado a mi madre!* La llamada era de mi sobrina de 11 años. Su madre acababa de suicidarse. Se averiguó que la razón había sido depresión severa. Muchos miembros de la familia trataron de consolar al padre, pero ¿cómo podía ser posible que ellos tuvieran éxito al darle consuelo si ellos mismos nunca habían experimentado *su* dolor?

Como parte del proceso de sanidad se le animó al padre a ir a consejería. Su consejera era una dama que había tenido exactamente la misma experiencia. También el esposo de ella se había suicidado años atrás. El padre me contó que ella había sido la persona que había hecho la diferencia en el proceso de sanidad. Ella era la única que sabía exactamente cómo se sentía él. Ella ya había derramado las lágrimas que él estaba derramando y en verdad entendía su dolor.

De un mentor espiritual mío yo aprendí que, *Solamente la persona que ha derramado más lágrimas que tú, verdaderamente te puede consolar.*

¿Dónde vive Dios? ¿Dónde quiere vivir Dios? ¿Si fueras un niño, dónde te gustaría vivir? Con tus padre, ¿verdad que sí? Así que tiene sentido que Dios también quiera vivir en el corazón y la mente de sus hijos. Mientras Dios vive en el corazón de sus hijos, Él experimenta todo lo que sus hijos experimentan. Cada alegría y cada pedacito de tristeza que sus hijos sienten, Él también lo siente en su corazón, pero mil veces más intenso. Una de las historias más grandes que afecta mi vida en gran manera, es una acerca de una mujer que experimenta la presencia de Dios por medio de una experiencia espiritual en un sueño. Toda su vida ella creyó que Dios era un ser poderoso sin sentimientos, sentado en un trono, juzgando a los seres humanos después que sus vidas terminaban. Él era el que decidía quién iba al cielo y quien iba al infierno. Y cuando los mandaba al infierno, si ese era el caso, Él lo hacía sin ningún remordimiento.

Esta mujer dice que en su sueño ella estaba siendo llevada al mundo espiritual a conocer a Dios. De repente ella entró en un área donde había mucha luz. Era más brillante que el sol, pero no era doloroso. Era extremadamente bello. Ella sintió como si hubiera estado envuelta en una sábana de amor, como si Dios la estuviera sosteniendo como un bebé. Ella se sintió completamente rodead y protegida de amor. Ella nunca había sentido un sentimiento tan cálido y maravilloso. Ella se sintió completamente llena de amor y gozo.

De repente se apareció una nube. Mientras entraba lentamente en la nube, ella comenzó a sentir una gran cantidad de tristeza. Cuando ella fue más adentro de la nube, ella comenzó a sentir más y más tristeza. Lágrimas comenzaron a caer sobre sus mejillas. Ella no podía parar de llorar. Sentía como si corazón iba a explotar de tristeza. Había demasiado dolor rodeándola. Ella le preguntó a su guía: *¿Dónde estoy? Hay demasiada tristeza aquí. Mi corazón se está destrozando y yo no sé porqué.* De repente ella se dio cuenta donde estaba exactamente. Ella estaba en el corazón del Dios. Ella podía sentir el dolor y la tristeza de Dios. Sus lágrimas estaban cayendo como una cascada. Ella podía sentir todo lo que Dios estaba sintiendo.

Ella se acercó y le preguntó a Dios: *Padre Celestial, ¿Por qué está tan triste?* Ella podía sentir Su respuesta en su corazón.

Hija, ¿Si pudieras ver el mundo por medio de mis ojos, qué mirarías? ¿Cómo te sentirías? Tus propios hijos abusándose y matándose unos a otros. Tratándose unos a otros peor que animales. Sufrimiento sin fin, conflicto y guerras. Hija, yo no solamente lo veo, yo lo siento en el corazón de mis hijos. Cada lágrima que derraman, yo la derramo mil veces más. Todo el dolor y sufrimiento que ellos experimentan, yo siento que mi corazón es roto en mil pedazos. Ah, y si ellos pudieran escuchar sus corazones.

De repente ella despertó. Su almohada estaba completamente empapada de lágrimas. Desde ese día, ella prometió parar las lágrimas de Dios y aliviar el dolor y la tristeza de Su corazón. Ella prometió hablarle a la gente del corazón herido de Dios y cómo Él realmente amaba a Sus hijos.

La siguiente en una conversación entre Paul Edgecomb (director de prisión) y John Coffey (prisionero y hombre milagroso/ángel), de la película, *Green Mile* (Milla verde).

Paul Edgecomb:

En el día de mi juicio, cuando me pare frente a Dios y Él me pregunte porqué maté a uno de sus verdaderos milagros, ¿qué le voy a decir? Que era mi trabajo...¿Mi trabajo?

John Coffey:

Tú dile a Dios el Padre, que lo que hiciste fue un acto de bondad. Yo sé que tú estás preocupado y lastimado. Yo puedo sentirlo, pero deja de hacerlo ahora porque quiero que esto se termine de una vez por todas. En serio que sí. Yo estoy cansado, jefe.

Cansado de estar en el camino, solo como un gorrión en la lluvia. Cansado de no tener un amigo con quien estar, alguien que me diga adonde está yendo y de dónde está viniendo, o porqué. Pero principalmente estoy cansado de la gente que es violenta unos con otros. Yo estoy cansado de todo el dolor que siento y escucho todos los días en el mundo. Hay demasiado. Es como pedazos de vidrio en mi cabeza todo el tiempo.

Si los mensajeros de Dios pueden sentir el dolor en el corazón del los hijos de Dios, ¿qué tanto más dolor puede sentir Dios? Así que volviendo a la pregunta, ¿Cómo nos consuela el amor de Dios? aquí está la respuesta: porque Dios ha derramado más lágrimas y ha sentido más dolor que ninguno de sus hijos. Cuando le pedimos que venga a nuestros corazones, Su amor nos consuela y sana nuestras heridas mediante la eliminación del dolor que hay en nuestros corazones...cuando Su amor entra en nuestro corazón saca el dolor.

Cuando le preguntaron a Jesús, *¿Cuál es el mayor mandamiento?* Él contestó: *Amarás a tu Dios con todo tu corazón, y con toda tu alma, y con toda tu mente. Este es el primer y más importante mandamiento. Y el segundo es semejante: amarás a tu prójimo como a ti mismo. En estos dos mandamientos se resume la ley de los profetas.*

Jesús le estaba diciendo a la gente que amara a Dios porque Él sabía claramente que el corazón de Dios estaba lastimado. Si realmente amas a Dios con todo tu corazón, vas a comenzar a sentir lo que Él siente. Si sabes que el corazón de Dios está lastimado, vas a querer acercarte a Él y consolarlo. Amando a nuestros vecinos, los hijos de Dios, Dios es consolado. El deseo mismo de consolar a Dios automáticamente va a sanar las heridas y quitar el dolor en nuestro propio corazón.

Existen dos clases de personas:

La gente que necesita que Dios la consuele, y esos que quieren consolar a Dios conectándose con Su corazón por medio de la oración, y haciendo Su voluntad para hacer de este mundo un lugar mejor.

¿Cuál eres tú?

Capítulo 28

El poder de la paz interior

El perdón es la fragancia que la violeta derramó sobre el talón que la aplastó.

- Mark Twain

Por muchos años, una de las cosas más frustrantes con las que luché tratando de planear mis eventos del día, era que cuando yo enfocaba toda mi energía para alcanzar mis sueños, de repente sentía una culpabilidad tremenda por descuidar mi familia, o mi salud, o mi vida espiritual. La culpabilidad literalmente provocó que yo parara de construir mi negocio y cambiara mi dirección. Después de un corto tiempo, yo me sentía culpable de que mis negocios iban a sufrir si no ponía suficiente esfuerzo, así que regresé a la otra dirección. Para un lado y para el otro como un péndulo, a un lado, luego al otro... ¡Me estaba volviendo loco! La culpabilidad estaba matando mi energía. Yo tenía que encontrar una manera de deshacerme de ésta. Después de tratar muchas cosas diferentes, aquí está lo que finalmente funcionó y me dio la paz que yo estaba buscando:

1.- Oración

Oración es la prioridad más importante de mi día, ya sea 2 ó 20 minutos, es la prioridad número uno de mi día. Aquí está la razón por la cual... lo más probable es que el día que yo muera va a ser algo totalmente inesperado para mi familia y para mí. Yo quiero asegurarme de estar listo para ese día, el día que me toque. Yo no quiero tener nada de que arrepentirme. Si Dios decide que hoy es el día, yo estoy listo. Lo único que me puede dar paz para aceptar el hecho inevitable es mi relación con mi Padre Celestial. Yo no tengo nada de que arrepentirme y espero ese día con paz y gozo en mi corazón, el día que me toque.

2.- Familia

Yo le pregunto a cada miembro de mi familia, *¿Hay algo que puedo hacer por ti?* Es mi responsabilidad se un líder activo en mi familia, preocuparme de sus necesidades. Preguntar toma menos de 5 minutos. Una vez que yo sé lo que necesitan, entonces puedo apartar tiempo para hacer lo que se necesita hacer, pero después tengo paz para seguir adelante con mi día.

3.- Salud

Yo me aseguro de apartar tiempo para hacer ejercicio. A la hora que sea, ejercicio es parte de mi itinerario. Si yo no estoy saludable y en forma, no puedo correr tras mis sueños, no puedo cuidar de mi familia, y Dios no podrá usarme para hacer la diferencia en este mundo. Es mi responsabilidad delante de Dios, mi familia y mi persona mantener mi cuerpo saludable y en forma. Cuando yo sé que he apartado tiempo para hacer ejercicio me da la paz para continuar con mi día.

Ahora bien, saber que he que cumplido con cuidar mi relación con Dios, mi familia y mi salud, yo estoy listo. ¡Listo para perseguir mis sueños! La paz interior que tengo, la cual ha reemplazado la culpabilidad, ahora me va a dar poder para ir tras mi pasión con más determinación y poder.

4.- Perdón

Hay un paso más que queda para tener paz interior por completo. Aunque una persona cumpla con las tres cosas que se mencionan arriba, la paz interior los va a evadir si ellos guardan resentimiento contra otro ser humano. Cuando oras con sinceridad, no puedes esperar que Dios te perdone por tus errores si sigues manteniendo resentimiento u odio hacia otra persona. Tus oraciones no te van a dar paz. Para poder experimentar paz interior por completo, tú tienes que perdonar a la persona contra quien tienes resentimiento. ¡El perdón te va a dar paz interior! Mucha gente dice: *Perdono, pero no olvido.* Esto no es perdón verdadero. ¡Perdonar es olvidar! Es extremadamente difícil y doloroso, pero es el único camino para perdonar verdaderamente a otra persona.

En la película de 1961, *A Raisin in the Sun* (Una pasa en el sol), hay un ejemplo verdaderamente conmovedor, después de recibir algo de dinero de una póliza de seguro por la muerte de su esposo, la madre le da a su hijo gran parte de ese dinero para que lo ponga en el banco. El hijo, sin embargo, desobedece. En lugar de hacer eso, él toma el dinero y lo pierde en una inversión que resulta ser una estafa. Cuando la madre se da cuenta, aquí está lo que le dice:

¡Tu padre venía noche tras noche con los ojos rojos, y se le veían las venas en su cabeza. Yo lo vi envejecer y adelgazar antes de cumplir cuarenta. Trabajando y trabajando como el caballo viejo de alguien. Matándose a sí mismo...y tú fuiste y perdiste todo por lo cual él trabajó toda su vida!

Su corazón estaba hecho pedazos. Ella se sintió tan traicionada por su hijo que tanto amaba. El siguiente día, la madre tuvo una conversación con su hija después que ella la escuchó maldecir a su hermano:

¡Él no es un hombre de verdad, él no es más que una rata sin dientes. Él no es hermano mío!

Yo pensé que tú lo amabas.

¿Amarlo?...Ya no hay nada que amar.

Siempre queda algo que amar. ¿Has llorado por ese muchacho hoy? Yo no me refiero por ti misma y por la familia porque perdimos todo el dinero. Yo me refiero que si lo has hecho por él, por lo que él ha pasado. ¡Y que Dios lo ayude! ¡Dios lo ayude! ¿Cómo se sentirá? Hijo, ¿Cuándo piensas tú que es el momento para amar más a una persona? ¿Cuándo él ha hecho algo bueno y hace que las cosas sean fácil para los demás?... ¡No! No, ese no es el momento. Es cuando él ha caído bajo, y él no puede creer en sí mismo porque el mundo lo ha azotado. Cuando tú comienzas a medir a alguien, mídelo correctamente hija, mídelo correctamente. Asegúrate de tomar en cuenta las colinas y los valles que ha atravesado para llegan a donde está.

Esta madre ejemplifica el perdón verdadero. Ella escoge perdonar, olvidar y seguir amando a su hijo en medio del dolor. Es fácil perdonar y olvidar cuando no estás lastimado, pero se necesita tener un corazón grande para perdonar cuando todavía hay dolor.

En la película, *Les Miserables*, protagonizada por Liam Neeson, hay otro ejemplo excepcional de perdón en medio del dolor:

Un sacerdote acoge a un ladrón indigente a su casa. Él le da comida y lugar donde dormir. Durante la noche, el ladrón decide robar todo lo que puede. Cuando está cometiendo el delito, el sacerdote se levanta y sorprende al ladrón. El ladrón entra en pánico, luego golpea con el puño al sacerdote en la cara y sale corriendo con la vajilla de plata. El siguiente día, el ladrón es traído encadenado de vuelta a la casa del sacerdote por la policía. Le dicen al sacerdote que el ladrón había dicho, *El sacerdote me dio la vajilla de plata.* Ellos no le creyeron y querían que el sacerdote lo confirmara por sí mismo. El sacerdote, con moretones todavía recientes en su cara dijo: *Yo le di a él la vajilla de plata. Yo incluso le dije que se llevara los candeleros de plata pero él no lo hizo.* Luego él le pidió a su asistente que trajera los candeleros y los puso en la bolsa del ladrón. El ladrón estaba completamente asombrado.

Cuando la policía se fue, el ladrón le preguntó al sacerdote, *¿Por qué hizo eso? ¿Por qué me salvó?* El sacerdote contestó, *Tú ya no perteneces al mal. Con esta plata, yo compré tu alma. Yo te he rescatado del temor y del odio, ahora yo te he traído de vuelta a Dios.*

Este era un verdadero hombre de Dios. Él eligió perdonar, olvidar y continuar amando en medio del dolor. Qué ejemplo más hermoso de perdón.

Capítulo 29
Conclusión

Dime a lo que le pones atención y te voy a decir quién eres.
- José Ortega y Gasset

Libertad financiera vs. Libertad verdadera

Muchos años atrás cuando mi hijo mayor tenía 6 años, él me hizo dos preguntas profundas: «¿Por qué tengo que ser bueno?» y «¿Por qué no puedo hacer lo que quiero hacer?» Él me agarró completamente desprevenido. Yo estaba sorprendido de escuchar esas preguntas, especialmente de un niño de 6 años. Yo reaccioné y le di una respuesta rápida con la cual se sintiera satisfecho y no me hiciera más preguntas. Sin embargo, yo sabía que no era la mejor respuesta. Después de que él salió de la habitación, a mí me dio mucha curiosidad y comencé a investigar para poder encontrar una mejor respuesta para mí mismo. Mientras investigaba diligentemente en mis libros espirituales, yo descubrí la siguiente verdad:

Entre más grande sea el amor que muestras hacia la humanidad en esta tierra, más grande será la libertad que tengas en el mundo espiritual, porque serás bienvenido en cualquier lugar.

La gente habla todo el tiempo de libertad financiera. *Entre más dinero tengas, más libertad tendrás.* Yo estoy completamente de acuerdo con esta declaración. Sin embargo, entre más medito acerca de esta declaración, y la comparo con la declaración que encontré en mis libros espirituales, yo llego a la conclusión de que la libertad financiera no te da la Verdadera Libertad.

Libertad financiera viene a aquellos que ganan un ingresos permanente. Un ingreso permanente y residual te da la libertad para perseguir tu pasión, porque tú tienes el dinero y el tiempo.

Verdadera libertad le llega solamente a aquellos que tienen un ingreso permanente y una gran reputación. Estas personas son libres de ir a donde quieren ir porque son bienvenidos en cualquier lugar.

Toma años construir una buena reputación, así que tenemos que empezar temprano, y lo más importante, tenemos que estar conscientes de lo que puede dañar o destruir nuestra reputación. Si sabemos qué es, nos mantendremos alejados de ésta.

Desarrollar un sentido de urgencia

Es muy importante aceptar el hecho de que tenemos una cantidad de tiempo limitada para lograr nuestros sueños y objetivos en la vida. No se trata de qué tantos años vamos vivir, sino de cuántos años productivos nos quedan. Quizá vivamos cien años, pero sería muy triste si los últimos 10 ó 15 años los viviéramos en la cama. Mucha gente asume que tiene todo el tiempo del mundo y desperdicia años de su vida productiva al no hacer lo que tiene que hacer con un sentido de urgencia.

La gente que hace las cosas con un sentido de urgencia, las termina de hacer. Imagina que aceptas el hecho de que solamente te quedan 10 años más. 10 años más para lograr todo lo que deseas en la vida. ¡Eso es todo! Ahora tienes una fecha límite.

Ahora bien, ¿cómo planeas tu vida?

¿Ahora, cómo vas a vivir?

¿Ahora, con qué seriedad vas a tratar a cada día?

¿Ahora, cuánto vas a lograr?

Si quieres lograr algunas cosas grandes en un período corto de tiempo, y *hablas en serio* y estás listo para *hacer lo que sea necesario*, esta oración te puede útil:

Querido Padre Celestial, por favor ayúdame a hacer en estos dos años, lo que normalmente me tomaría 20 años.

Una persona de gran valor

No te esfuerces solamente por lograr el éxito, sino como dijo Albert Einstein, *Esfuérzate para convertirte en una persona de gran valor.* En la película, *Meet Joe Black* (Conozca a Joe Black), Bill Parish es un hombre que ha logrado el máximo nivel de éxito en la sociedad moderna. Él logra obtener tremenda riqueza financiera, una familia hermosa y una gran reputación. Incluso su hija le dice: *Papá, todos los que llegan a conocerte, te aman.* Pocas semanas antes de su cumpleaños número 65, el Ángel de la Muerte viene a visitar a Bill. El ángel le dice que aunque ha venido a llevárselo, le gustaría hacer un trato con él. El angel le dice:

Yo nunca antes he visto una persona como tú. Estoy impresionado con la manera que has vivido tu vida. A mí me gustaría quedarme por un rato. Llévame a conocer el lugar a cambio de más tiempo de vida.

La noche que cumple sus 65 años de edad, después de la celebración, el angel le dice a Bill que finalmente su tiempo ha terminado. Bill mira al angel y nerviosamente le pregunta, *¿Debo sentir miedo?*

El ángel contesta, *No, un hombre como tú no debe sentir miedo.»*

Espero y deseo para ti personalmente, que un día en un futuro muy distante, cuando tengas que hacer la pregunta, *¿Debo sentir miedo?* ...escuches las mismas palabras maravillosas en tu corazón...

No, un hombre como tú no debe sentir miedo.

No, una mujer como tú no debe sentir miedo.

¡Tú hiciste lo correcto! ¡Viviste tu vida correctamente!

Un mensaje del autor

Te felicito por haber terminado este libro. Me encantaría saber de ti en lo que respecta este libro, cómo te ha ayudo este libro en tu viaje personal hacia el logro de tus metas. Yo estoy seguro que tu historia va a impactar a todo aquel que la escucha.

Espero con ansias tu correo electrónico.

Dios te bendiga,

Terry Gogna

terry@terrygogna.com